典絃音樂文化國際事業有限公司

Kiko Loureiro

電吉他影音教學

U0085748

OverTop
Music Publishing
典絃音樂文化國際事業有限公司

目錄

關於多視角

　　當你拿到這張DVD時，期待看到的可能只是一般教學帶中看得到的畫面－以一個正面的畫面為主，加上左右手子畫面；或是不時在正面、左手、右手三個畫面上切換。不過，你手上的是一張**多視角（Multi-Angle）的 DVD**！它擁有比你想像的更貼心的功能！

　　進入選單時，會看到「選擇視角」的功能，可以在播放前就先決定想要看的是正面的鏡頭、右手的鏡頭、或是左手的鏡頭。但是多視角並不表示只是有三種畫面而已，而是三種畫面可以隨時切換。如果使用電視和 DVD Player來播放，在按下播放鍵後，在銀幕上會出現「1/3」表示現在正播放的是三種角度當中的第一個角度（因品牌而異不一定會顯示），可以檢查一下你的遙控器，上面會有一個「角度」或是「視角」的按鈕，只要按下這個按鈕，畫面就會立即跳到另外的鏡頭上。比如說看到這個地方，你想要看Kiko的左手怎麼彈，不用按暫停，就可以切換到左手的鏡頭上。如果使用電腦來播放，在軟體的控制面板上也會有角度切換的功能，一樣只要在需要切換到其他鏡頭時按下按鈕，就會轉換到其他鏡頭上。

　　這是一張在台灣拍攝、製作的教學帶，除了使用國內外都不常見的多視角之外，還有**全中文字幕**！希望這兩樣設計，加上我們在視角切換時做的小特效，都可以讓你學得更快、更開心！

I'm sure you'll enjoy This DVD
HAVE FUN!
THANK you all!
Kiko Loureiro
2005

多視角DVD與某些播放軟體或DVD Player不相容，如無法播放，請試用不同軟硬體播放。

3

序

這是一本影像只拍三天，內容卻蘊釀了兩年才完成的DVD「教材」。投資的不僅只有金錢，更投注了無比的心力。現在它已展現在你（妳）的面前，一本慨念創新的吉他影音教材「Kiko Loureiro 電吉他影音教學DVD」。

有別於所有以往曾出版的吉他影音DVD只側重在教授「彈奏技術」，這份教材更加入 Kiko Loureiro 成長點滴與音樂學習的心路訪談。有了 Kiko Loureiro 的懇談詳述，我們才得以知道，除了吉他技術的基本功需日積月累的練習外，要能成為世界級吉他手的重要關鍵，是音樂心靈的成長也得與時俱進。

很欣賞 Kiko Loureiro 在訪談中所說的一段話。

「每個人都應該從自己的文化裡面找到屬於自己的音樂語言，然後再把它加到自己喜歡的音樂上。」

是啊！從自己的文化裡找尋出自己的音樂語言再將之加到你自己喜歡的音樂上，一直是史上所有成名的樂者到達成功之路的最速捷徑。Eddie Van Halen 擷取小提琴樂章，以自己的音樂語言「點弦」創造出 Eruption 這首成名曲。Frank Gambale 將鋼琴中的琶音和弦分解轉移到吉他上，用自己的音樂語言「掃弦」不只在 Fusion Rock 中頂了一片天地，更影響了後世千千萬萬的吉他手起而傚效。

沒有自己的音樂語言只是能Copy他人的工匠，有自己的音樂語言才能傳道聚眾，得成一代宗師。歡迎你（妳）來到 Kiko Loureiro 以巴西文化為音樂語言，教導琴友知道他如何創造出神乎其技的獨特巴西金屬樂音的電吉他影音教學DVD。

I'm Kiko Loureiro

我的出發點一直都是「我要越彈越好」而不是「我要成名」或什麼的。

我要彈得好，而且要什麼都可以彈！

「我很好奇你為什麼會開始彈鋼琴」這是我們坐下來時我的第一個問題，很難想像一個長頭髮、戴金屬飾品的Rocker坐下來彈鋼琴，彈出來的是像Bill Evans的Jazz ballad…Kiko回答我「但是我如果沒有先講我已經學過的東西，直接跳進來講彈鋼琴會怪怪的吧？我還是從頭開始說吧！」

剛開始只是因為12歲的姊姊覺得一個小時的吉他課太長，媽媽就來問11歲的小Kiko，要不要幫姊姊分擔半個小時，「我當時對音樂沒有什麼特別的興趣，但還是答應了，老師只是附近找的，並不是什麼有名的人，開始學以後才發現我很喜歡，後來反而姊姊就不彈了。這兩年裡面我學會基本的東西，怎麼看譜啊、基本的樂理啊，也學了一些古典音樂。但是同時我也開始聽搖滾樂，當然我那時候就決定要彈吉他了！...我還記得Angra剛開始的時候，我們在錄音室，東西已經錄好，準備要寫名單、預備要壓片的時候Rafael問我『你到底要用哪個名字？Kiko還是真名？』我想了一下『用Kiko！』我那時候心裡想『這個名字應該比較國際化一點…』那一幕到現在都還好深刻，一點都不覺得那已經是10多年前的事了…」從這裡開始，我們認識了一個新的Guitar Hero…

K 學吉他的頭兩年，我們有一次在年底辦了一個發表會，請大家的家人都來看我們彈吉他表

演，我爸媽都有去，但是他們也沒覺得「好棒呦！我兒子彈吉他耶！」就沒特別怎麼樣，我那時候還有在打籃球啊什麼的…

Wow！你打籃球啊？
現在當然沒有，就那個時候啦，彈吉他和打籃球，很難同時進行吧？會傷到你的手指耶！我14歲的時候有了自己的第一把吉他，也開始到小型的音樂班去上吉他課，那次我被嚇到，因為是我第一次，看到有人在我面前可以彈Eddie Van Halen的東西而且彈的一模一樣！還有Jimi Hendrix，那個人當時彈地很好，那種音樂真的很吸引我，我就一頭栽進去，開始很認真要學很多東西。我覺得學一個樂器最開始的一兩年是最重要的，因為你開始真的可以彈東西出來，知道手應該要怎麼運動，對之後的技巧打下一個基礎，也開始接觸各種不同的樂風，慢慢會決定之後要往哪個方向。對我來說，我那時候很注重技巧的小細節，所以現在彈的時候才可以想都不用多想。這真的很重要，對所有的樂手來說，都需要經過這樣的一個時期，還要有5、6張CD是他認真去鑽研的，就是要一直彈不停；不然的話可能以後就沒有辦法有好的聲音（音色），或是有一些技巧就練不起來。後來巴西開了一間像是MI那樣的專業音樂學院，我就去上課，一年以後認識了那裡最好的老師，Mozart Mello，他從那時候開始，教了我六年，離開學校我就到他家繼續上課，他教我很

多，樂理啊、爵士、還有巴西音樂，他什麼都會！而且不斷在找新的東西，他現在50幾歲了，還是一樣很棒！我每一次見到他他都會有新的東西，而且他對發現的東西非常有熱誠，從他身上學到的，對我來說不只是彈琴的技巧，而是他的態度，對音樂從來都不會厭倦，很認真去找、去發現新的東西，準備要跟學生分享，他是一個很好的人，而且什麼風格都會彈，也都可以大概解釋給你聽，他自己有工程的背景，所以他的思考模式都很數字化，任何東西像音階什麼的都會做成各種表格來解釋，我覺得很有趣，從他身上也學到怎樣用這些表格來解釋調式或一些比較複雜的東西，對我自己在教學生的時候非常有幫助。

這個老師後來介紹我跟他的另一個工程師朋友上課，他之前還打算不要再彈琴，想要回去當工程師，我記得他有一段時間是在幫政府設計捷運系統。對數學頭腦很好的人來說，要彈和弦很簡單，所以我就去認識這個人，當時我已經是professional了，所以大家看到我都會說「唉呦！你還上什麼課？你根本就不用上課啦！你想要我教你什麼？是你要教我吧？」我們大概上了一兩個月的課之後，他就說「不行不行！我們當作是聊天就好！我不可以收你的錢！」反正就很多人都不願意幫我上課，因為那時候已經有一點名氣了，但是我就覺得我需要啊！還有一個很好的Acoustic

吉他老師，我說我要上課，他卻說「應該是你要教我東西吧？不然我們交換，互相教對方」但是因為這個人也很忙，到處旅行和表演，所以我們也就沒有機會嘗試。

說到我的鋼琴老師她們全家都是有名的音樂家，我其實是她兒子的朋友，他是一個Bass手，我本來不會彈鋼琴，但我跟她學的不只是鋼琴而已，還有很多關於音樂本身。她跟一個巴西很有名，有點像Frank Zappa那種感覺，但是再更誇張、更瘋狂一點的樂手一起表演。他是Hermeto Pascoal。他還曾經說過像『我是世界上最厲害的樂手』這樣的話。我有一次去參加他的講座，他說到他好友過世的時候，他在很難過的狀態下寫出了一首很好的歌，他自己出的一本書裡面就放了365首歌，像日曆一樣每天都有一首，寫歌真的是每一天都要做的！當然你需要先非常了解你的樂器，讓他成為你的一部分，然後就可以寫出好東西。Pascoal什麼樂器都

會，也可以拿起一個裝了水的玻璃杯就弄出音樂來。他擅長鋼琴、薩克斯風、鼓還有唱歌，他的音樂都是相當複雜但是有趣的。Pascoal來自於巴西一個很貧窮的區域，但是卻可以在完全沒有受過正式教育的情況下，對音樂有這麼深入的認識。過去從我剛開始學音樂，一直到24、25歲，我都問自己『我到底需要多少理論？』我曾經很認真投入在理論裡，嘗試要學會每一個東西，但是，到底哪一種人彈的比較好呢？通常都是可以很自由、跟著感覺去演奏的那些人。當然這些人裡面有些也有樂理的基礎，而且這是一定有幫助的，但是另外一部分的人完全沒有。所以我覺得如果只依靠理論來當基礎，就希望自己可以彈地很好，這一定是行不通的。你一定要先彈，然後再學一些樂理幫助你進入下一個層次，或者只是因為無聊想多學一些名字所以學樂理。就像我說到的這個瘋狂的Hermeto Pascoal和前面的工程師，他們搞不清楚這些名字，所以沒有辦法教課，很多東西他們根本就無法解釋。不過可以跟這樣很會彈、但是搞不清楚名詞的人上課是蠻不錯的。因為會學到不一樣的東西－只要學他們彈出來的聲音。你不開口講英文的話就永遠都不可能會講，頂多會讀會寫而已。我在美國從來沒有呆超過一個禮拜，所以不行講出完美的英文，可是我可以住在那裡，完全沒有學文法，一樣能跟所有人溝通。只有等到哪天我要幫雜誌寫文章的時候才需要知道文

法怎麼用，如果你只要溝通，唯一需要會的就是知道怎樣表達你的感受而已。音樂就是這樣！我的鋼琴課也是在幫我發揮右腦的潛力，把我硬留在一個『不能想樂理，直接彈』的情況下。不需要解釋原因，不用解釋這裡為什麼要用這個和弦？為什麼要用這個音？因為只要聽起來好聽就好了！完全在於一個音會帶給你什麼感覺，是很放鬆的嗎？還是很緊張？或是覺得很冰冷？同樣一個音對你來說可能代表黃色，對我來說是冷，對另外一個人來說是降9音。你只需要知道這個音是什麼感覺，因為要是一直想太多技術面的東西，你會失去感受的能力。

在記得這些東西叫什麼名字之前，你需要先有感覺。要先去感受，之後如果需要解釋給別人聽，或是教別人的話，再去學這些名字。其實我現在並不是那麼喜歡教了，因為

對我來說不只是Mozart Mello他彈琴的技巧，而是他的態度，對音樂從來都不會厭倦，很認真的去找、去發現新的東西。

Kiko Loureiro

我不像以前那樣相信樂理。當然要我解釋的話我可以解釋的很好，因為我曾經很認真地研究，但是慢慢會發現，只有初學的人才會需要樂理，所有的東西都寫地清清楚楚，比較容易學。不過說實在的只要去買一本爵士樂理論的書就可以學會所有爵士樂用的音階，但還是不能吹的像John Coltran一樣。如果想要像John Coltran或是其他任何一個爵士樂大師一樣強，其實只需要一直聽他的東西，然後彈就是了。或者是到美國跟各種不一樣的人一起play。就像你想要學好percussion，一定不能只是買一本Brazilian groove的教材，你要到巴西去，聽他們打、讓他們教你才行。

在台灣有一次講座裡有人問我『你是怎麼創作Solo用的和弦進行？』我真的不知道！我可以了解他為什麼會這樣問，因為我曾經也問過這個問題。一段好聽的Solo，通常是因為和弦進行本身很好聽，所以在上面的旋律才會好聽，其實他問的

很好，這表示他有注意到是因為和弦進行好聽，所以讓Solo很特別。但是我真的沒有辦法只用幾分鐘來回答這個問題，這是需要經年累月來訓練的，我只能回答說『你要去聽很多很多音樂』這個答案他可能不太滿意，但是事實就是這樣，如果你聽很複雜的音樂，你的耳朵就會習慣那些東西，然後你的手指就會慢慢可以往那些地方彈，因為你的耳朵知道那是什麼聲音，如果從來就不知道有那些東西，你怎麼可能彈的出來？

行銷就是這樣，幫你製造一種情況，一種慾望、或是讓你回到一種情境裡，然後告訴你一個商品，是可以讓你滿足、或是得到相同的感受，那你就會去買它，差不多就是這個意思。所以一定要聽很多音樂，現在我開始聽很多古典樂，因為這些聲音會給我不一樣的靈感，所以有時候我彈出來的音對別人來說會很奇怪，但是對我來說就不會，因為我的耳朵已經習慣了。一般的巴西人聽到中文和日文可能沒有辦法分辨，但是因為我在這裡，已經可以聽出來中文、日文、泰文都不一樣，就像有人聽Flamenco音樂、巴西音樂、爵士或其他的東西，每一種都聽、都彈，然後你自己選擇你到底要哪一種聲音，我想要Rock一點、要Flamenco、要古典一點，所以我就選擇比較像這幾個風格的音來彈。這很複雜，所以很難解釋，當然你可以說「你在吉他上用這個音階的話會聽起來比較Flamenco」

但是這些當然都不是用一個音階就可以講明白的，如果用一個音階就可以定義一種文化，那是騙人的。同一個音階也可以用在希臘音樂，可能土耳其音樂也行，但是其實他們全部都是不一樣的音樂，一定要到那個地方，聽他們的音樂才可以了解。大家以為搖滾或是藍調比較容易學會，但是這不是說你會五聲音階就可以了，這五個音也可以彈出中國音樂啊！很多音樂都是用這五個音但是它並不是藍調，要解釋這個東西真的很難。

我學鋼琴不是要學很多技巧啊什麼的，主要是要能更認識音樂，其實也可以用吉他來學這些，我只是覺得能彈鋼琴也不錯，當然偶爾也是要練一些技巧性的東西啦。我的老師不是那種彈很古典，彈地很精準

如果有人問我『你是怎麼創作Solo用的和弦進行？』
我只能回答說：『你要去聽很多很多音樂』
Kiko Loureiro

的那種，可以看的出來她們家人都不是受過什麼訓練的，但是每天彈每天彈，就會變很厲害。一定只有創意能帶你進到不同的領域，而不是那些技巧的東西。

你什麼時候開始真正領悟到理論並不是這麼必要？
我不是反對學這些，因為重點就是我自己學了很多理論，我彈的時候也不是完全不管樂理，一定還是有用到，因為那些東西都已經是我的一部份了。所以如果可以的話，我應該要重新再出生一次，這樣我才可以從頭來用不一樣的方法學。這就是為什麼我覺得應該學一個新的樂器，不要練技巧，而是就做音樂，用吉他的話，我的手已經很習慣在上面爬來爬去，因為一開始我就是這樣訓練起來的，手指的肌肉會記得這些動作，但是一旦到一個新的樂器上，這些東西就消失了，

再加上技巧不夠，所以必須要彈的很慢，這樣就可以專心在自己彈出來的聲音上，仔細聽這些聲音，就能真正享受它們。如果要做這方面的訓練，這應該是一個好方法。

在吉他上面可以試試看照自己的感覺彈，但是不要彈任何一個你會的音階，反正就是要盡量讓手指頭不要到那些他很習慣去的位置。閉上眼睛，把 Drum machine 之類的輔助器材打開，然後隨便彈。要專心不要彈到同樣的音階就好。有時候會發出很奇怪的聲音，但是你的手指就可以慢慢練習，開始爬到各種不一樣的位置。我的鋼琴就是這樣學的，因為要是一學音階，就會都用同一種方法彈了，要讓手不只是線性或是單一模式的移動，吉他也是一樣，因為如果不是線性的移動，你就可以做出各種不同的技巧了，比如說一些跨弦的東西。你的手

可以亂跑以後，就會開始找到各種不同的聲音，而不是每次都在找某幾個音。如果一直彈音階，就會變成在某些地方沒有辦法只移動一個琴格，因為有人創造了一個音階，要是在特定幾個地方彈出半音你就錯了。彈音階就只有彈七個音，還有五個音沒有用到，但是這五個音不是錯的，只是它們聽起來比較不和諧，比較特別。其實只要記住這五個音會給你什麼感受，感覺好不好？喜不喜歡？在這首歌裡是不是要加上一些悲傷的感覺？是不是要加一點不和諧？所以這五個音也是可以用的，只要你很清楚這五個音會帶出來什麼感覺。可是老師又會告訴你，只能彈那七個音，其他的是錯的，結果就讓你沒有辦法發現不一樣的東西，而且一直在框框裡出不去。可能有人經過多年嘗試以後走出來了，但是也有人永遠都彈一樣的東西。

當我們一直說到「對音樂的感覺」時，Kiko開始問我對自己彈出來的東西有什麼感覺，我很坦白的說「…彈不好，因為觸鍵吧！…我一開始學的是電子琴，所以鋼琴老師就一直說我彈不夠力，到後來我就養成習慣只會彈重不會彈輕了，就像你剛剛說到的，沒有注意彈出來的音色到底怎麼樣…」於是他又開始很認真的跟我分享，他自己以前在木吉他和電吉他中間的掙扎…就像我剛剛說的，學樂器一定會經過一個要很認真練技巧的時期，我以前也是，這對每一個人來說都是

必要的，妳會很困擾是因為同時學兩個不一樣的東西，這就和同時彈電吉他和木吉他是一樣的道理。我以前也有碰到類似的情況，我彈木吉他有很大的問題，要選擇用pick還是用手指，當然可以兩個都學，還有木吉他要彈比較用力；電吉他的話可以彈很輕，但是能玩樂團或什麼的，不太一樣。所以一定可以看出來這個人是電吉他手在彈木吉他；或是木吉他手在彈電吉他一雖然很像，但是是不一樣的樂器。對彈鋼琴的人來說，要去彈鍵盤容易很多啦！因為彈鋼琴，尤其是彈古典的人，有學輕、重不同觸鍵的彈法，所以彈鍵盤還是沒問題，不過他們還是一樣不滿意，現在才會有很多重量鍵的琴。要彈鍵盤的人去彈鋼琴就比較難了，所以這是妳自己要做的選擇，我就選擇彈電吉他，木吉他的話我就盡力彈，我知道我彈地不會有那些專門彈木吉他的

人彈地好，我沒有去鑽研木吉他的技巧，我會知道某些特殊的技巧是因為我弟弟對木吉他很有研究。他兩種吉他都彈，但是他選擇專精木吉他，研究音階啊，還有木吉他的音色。木吉他的音色是很難的學問，要從acoustic的樂器發出好聽的音色複雜太多了，在鍵盤上妳有各種滾輪啊、各種效果啊，就跟電吉他可以加delay、加破音什麼的，看起來越複雜的東西其實越簡單，哈…

如果一開始就了解到我們的肌肉會有記憶、右腦管創意、左腦管理性這三個方面：手有記憶很好，彈的時候可以很自由；了解理論的部份也很重要，當然還要再加上創意。知道有這三個方面，就可以找不同的練習來訓練這三方面，然後就能創作更多的音樂。而其中最難解釋的就是創意的部份了！這根本就沒有辦法解釋、沒有辦法用教的，你只能逼他一直創作，這大概是唯一的方法吧－因為那是關於個人的感覺，是其他人不可能控制、或是教的。在學校裡面他們常常都會彈一個音程出來，然後讓你猜猜看這是幾度，這是不錯的訓練啦，但是從來不會有人要你試試看，聽到這個音程有什麼感受，然後叫你取個名字。我自己沒有絕對音感，有時候好像可以，但是不是絕對，有一部分是因為我們常常把吉他調成不同的調，所以會被搞混。我的一個老師他就有絕對音感，其實在某種程度上來說是可以訓練的。但是有

絕對音感會讓你聽音樂只要稍微聽到一點不對就很不舒服。鋼琴可能只是低了四分之一個音就受不了了。有些人認為，就是因為每個人都有自己的頻率，每個音也有自己的頻率，所以才可以有音樂治療出現；也有一些很瘋狂的人說『當你身體不舒服的時候你就唱一個你想到的音，那個音就是你的痛，然後你只是要把那個音Delete掉就好了』但是這是對那些瘋狂的人才有用啦！我們是正常人沒有辦法，哈…

你剛剛提到你的老師Mozart Mello，就是你每次碰到他都會有新的東西跟你分享的那一位，現在還有跟這個老師見面、交流嗎？
很少，他負責聖保羅最大的吉他學校，但是我們因為跟同一個吉他廠牌Tagima合作，所以我們會在Tagima辦的講座上面碰到，我每一次看到他彈都還是覺得很棒，不斷找新的東西、用不同的調音、不同的弦來表現等等。他彈的東西其實很Rock，但是也很Jazz，有點像Allan Holdsworth－他是最棒的吉他手當中最棒的吉他手，每一個厲害的吉他手都會說Allan才是最厲害的，可能你問Eddie Van Halen或Steve Vai他們也會說『這個人根本就是神啊！』因為他彈的東西真的

非常複雜。讀到這裡的人大家都應該去看一下Allan的教學帶！所有的吉他手都在某種程度上受到他的影響，對我自己來說影響就很大。在教學帶裡他其實只是在示範一些音階，但是他用不一樣的方法來稱呼這些音階，而不是一般用的名稱。他的理論基礎其實很像我剛剛有提到的，他發現一些好聽的聲音，裡面當然有的是我們都知道的音階，但是也有很多就是他發明的。看完你不一定會覺得有學到什麼，但是你會知道一個和大家的想法都不一樣的人他的思考模式是如何。沒有用理論當基礎，所以想法不一樣、彈出來的東西也與眾不同。這應該就可以幫助你發揮創意。

有些人學吉他好像是為了要成名，在講座裡有人就會問我類似這樣的問題，但是如果學音樂是為了要成名、或是賺大錢，這不太對，你應該要為了你自己，是因為你很享受這件事。因為學了以後發現真的很喜歡，希望音樂變成你的職業，你就可以每天一直彈、一直表演，不必做其他工作；另外一方面是，如果你想要一直表演的話，必須要彈地好，不然就會有人說你應該去做別的事。一定要預備好，當別人隨時要你彈你都可以彈出來，我就是這樣，雖然我曾經有一段時間不是很確定，而跑去念生物，但我那時候就是很喜歡彈，很喜歡音樂，後來真的覺得『我這一輩子就是應該要做音樂』。我的出發點一直都是『我要越彈越好』，而不是想說我

要成名或什麼的。我要彈的好、而且要什麼都可以彈一點。所以我很認真的研究技巧、和聲、巴西音樂、藍調、爵士、還有一點古典音樂。

放棄生物以後我到另外一個大學主修音樂，但是後來發現，我不想要一天花五、六個小時去上一些明明就已經會的東西，所以就不去了，直接找學校音樂系裡面最好的老師跟他上一對一的課，不是上吉他或是鋼琴的樂器課，而是去上對位、音樂史、巴哈那時候的古典和聲學，還有基本的管弦樂編曲，就是音樂系的學生前幾年要學的課程，但是上一對一的課會快很多。我覺得了解這部份的樂理很不錯，對位法很好用，比如說你有一個Pop團，或是你要帶合唱團，或是你想要讓兩把吉他合的好聽，或是想要讓主唱唱的東西跟吉他的旋律線有互飆的感覺等等，你都需要知道對位法的基本原則。所有的東西都跟對位有關，這是樂理當中很重要的一個部份。如果想要更深入的認識音樂，也就需要知道各種樂器的音域和特性。

從一開始我就想要每一種東西都學一些，巴西音樂是我一直都在接觸的，我的父母不是音樂家，但是我媽媽常常聽巴西音樂，我一直都覺得巴西的音樂家們很棒，他們是很有天份、很好的演奏者和作曲者，一直都很尊敬他們。很多巴西的搖滾樂手對這些巴西音樂的音樂家並

不是很尊重，他們會覺得『那些是傳統的東西』，但是我一直覺得他們很厲害。我曾經跟一位在70年代很有影響力的樂手住在同一棟大樓裡，常常可以一起坐電梯，有這樣一個人在你的附近是你的朋友很有趣，他現在已經60幾歲，我常常還在聽他的音樂。而我爸爸很愛聽古典樂，以前他會帶著我聽，告訴我這是巴哈、這是莫札特、這是某某時期的音樂，我小時候覺得很不可思議，怎麼可以一直聽只有小提琴的音樂，還聽的出來這是什麼時期的創作，或是誰的創作，真的很厲害。以前家裡有一把小提琴，我們是不可以碰的，爸爸說『等到你七歲就讓你學小提琴』這些都是在我四歲、五歲的事情，所以等我一開始學吉他，我就很想要彈這兩方面的東西，我想要了解巴西音樂的根源，也想要更認識古典樂，當我剛開始彈的時候，我很高興可以彈爸爸媽媽喜歡的音樂給他們聽。這算是我學巴西音樂和古典樂的動力，搖滾就是我自己很愛的，所以一直以來我在這三種不同的音樂上面不斷的研究，現在也還是一樣，有時候可能會一整個月只聽古典樂，有時候會一陣子只聽巴西音樂，現在不像以前有很固定的時間會待在家，我以前會規劃好一天要做哪一個東西幾小時，可能禮拜一是這個2小時，禮拜二是另外一個，這就像在學校一樣，一天有幾小時是數學、有幾小時英文。我那時候就是這樣，我不知道這是不是最好的方法，但是一天逼自己練四、五個

小時，表示一定要放棄跟好朋友出去玩的時間、不能去踢足球－只因為今天的進度沒有完成，我以前真的就是這樣，有五、六年都是過這麼有紀律的生活。那時候我就在練作曲、手的技巧、和聲學、各種風格、即興、還有聽音樂來抓歌，像我彈雙手的Tapping，就跟我15年前彈的一樣，曾經有一段時間我很認真在研究這個，每天一定要一個小時，其實不只是這個技巧，所有技巧都必須要分地很細來練習。我會做一個表，這個月要彈哪幾首歌、要彈哪些技巧，那這些技巧每一天又要彈到什麼速度，立刻可以看出來哪些技巧我比較弱、還彈不快，就可以很專心的把比較弱的練起來。樂理也是這樣，這個和弦我可以用什麼音階、可以怎麼彈，所有的東西都是白紙黑字寫下來，東西貼滿牆壁，我媽媽那時候就覺得我是瘋子。

音樂是要一直不斷學的東西，所以我不是在彈吉他、就是在寫歌、或是學巴西音樂，有一段時間我也很迷爵士，因為爵士樂和巴西音樂一樣是必須要想很多、想很快的一種音樂風格，要能用正確的音跟上和聲的變化等等。彈Rock的話大部分一首歌就是一個調，頂多到兩個或三個，但是其他的音樂風格裡可能一個和弦就要用一種音階，巴西音樂和爵士樂就是這樣，所以學這兩種音樂讓你可以用不同的角度練習即興。等到回頭彈Rock的時候就可以更自由，什麼都彈的出來，因為只有在一個調裡面變化，你可以慢慢想。彈爵士的時候和聲變化很快，要馬上反應在這和弦上哪一個音是對的，等你拿到一首變化沒有這麼大的歌時，很快就可以找到最適合這個和弦的音，雖然調沒有變，但是想的時候是跳脫調性，每個和弦可以當成不同調的不同級數，然後要找到音跟和弦、和弦跟原本的調之間的關係，所以彈出來的東西就不一樣了。巴西音樂的和弦變化很複雜，所以可以很快幫你發展出這方面的能力，你就變成可以在和弦變化超快的情況下一樣想的很快，想過各種音階，但是solo聽起來還是非常順。這很不容易，因為要在一個樂句裡，要保持用同樣的概念彈出不一樣的音。在剛開始的時候，你會一個和弦就彈一個句子，但是經過一段時間之後就要

可以彈出長的句子，所以聽的人就不會感覺到你在尋找好聽的音。

這就是為什麼我的專輯會用No Gravity這個名字。我們剛剛講到每一個音帶給人的感覺，跟著感覺彈，讓自己跟音樂融合在一起，所以你可以彈很快但是一樣覺得很舒服，不會一直想『接下來我要彈什麼？』『哪一個音階才對？』後來我才找到No Gravity這個詞，是跟這個有關聯的。我本來想要有法文、西班牙文、葡萄牙文的名字，但是說實在的，instrumental的音樂本身就是一種語言，所以用什麼語言都不重要。我的每首歌還是有歌名，只是因為大家習慣要有歌名，你會發現有一些演奏專輯只有寫「第一首」、「第二首」，就像貝多芬，他有第幾號交響曲，名字都是後來的人加上去的，所以有田園交響曲，因為那首歌就很像是你正走在田野裡面，重要的還是音樂到底給人什麼感覺！

如果只能用三個詞來代表這將近一萬字的內容是什麼，我想大部分的人都會說是：感覺‧創意‧練習。感覺是因人而異，創意又模仿不來，只剩下練習可以自己掌握，

音樂，是不歸路。

那些讓我覺得沒有把音樂放在第一位的，我就不太會多聽了。
一直聽你就會知道有哪些人真的很厲害，
哪些音樂性很好，而不是打腫臉充胖子，假裝自己很厲害。

Kiko Loureiro

為什麼會想要彈Rock？是怎麼開始的？

我們學校有一段時間可以讓我們借黑膠唱片聽，我記得1981年的時候Queen到巴西，但是我那時候還太小了，後來是1984年我已經12歲的時候Kiss來，當時巴西還是一個極權統治的國家，不會有什麼演唱會，所以Kiss來廣告打很大，還說什麼他們來會殺小朋友之類的，Kiss他們的化妝和形象都很極端，我那時候覺得很酷，就去找了Kiss的專輯來聽。對年輕人來說像Kiss這樣有點邪惡的形象、然後又很衝，就跟玩線上遊戲在裡面殺人一樣，小孩子都很喜歡、很刺激。所以我那個時候就是這樣才開始去研究Rock，青少年的荷爾蒙正在發展，所以需要這種吉他手飆超快，鼓手用渾身的力氣去打鼓、主唱用吼的這樣的音樂來發洩。所以我從Kiss開始，有一段時間很喜歡Led Zepplin，然後還有Black Sabbath、Iron Maiden、一點點 Kiss，後來就不聽 Kiss 了。在1985年的時候有一個巴西有史以來最大的搖滾音樂節，當時所有的團都來了：Black Sabbath、Scorpions、James Taylor、Queen、AC/DC還有很多，就是所有大團在一個晚上表演。在這一年裡面多了很多資訊，後來才買了我第一把吉他。我也開始買專輯，真的開始學音樂。過了幾年以後開始有很多的吉他手出來像是Yngwei Malmsteen、Paul Gilbert、Joe Satriani、Steve Vai，他們都是在80年帶中期以後開始，那時候我

剛好15歲，有這些彈的又快又好的人就在旁邊讓我學，我去買他們的專輯，到處找雜誌，因為當時巴西還沒有這類型的雜誌，我要找英文或是日文的書來看、找裡面的譜，之後我才開始跟這個後來教了我五六年的老師Mozart Mello上課，從他那裡就有很多不同的資料了。我同時也一直沒有離開巴西音樂，一樣買專輯、去聽音樂會，看一些彈木吉他的表演。但是對我自己來說，我主要還是彈Rock，然後開始有自己的搖滾團。

為什麼後來沒有再聽Kiss？

沒有再聽Kiss是因為覺得他們的音樂已經不能滿足我了，我想要更複雜的音樂。他們的化妝很棒，我很尊敬他們，樂團有自己的特色、有

人專門負責衣服、化妝啊這些東西是很必要的，因為就連你自己在家裡照像也希望穿的不要太隨便啊，但是我覺得不管怎樣，最重要的還是音樂本身。那些讓我覺得沒有把音樂放在第一位的，我就不太會多聽了。所以我後來就去聽Led Zeppling、Deep Purple、比較前衛的東西，還有後來那些吉他手的音樂。一直聽你就會知道有哪些人真的很厲害；哪些音樂性很好，而不是打腫臉充胖子，假裝自己很厲害。

那你有沒有聽過日本的搖滾樂？

沒有…其實有一點啦，只是還不到我可以評論的程度。我有看過X-Japan的錄影帶，吉他手很不錯，就是比較美式和英式的搖滾樂。其實我以前也沒有常聽像Halloween那些德式搖滾。有一部分是因為以前從來沒有人跟我介紹那些東西，所以沒有機會接觸到他們的音樂。大部分的東西都是我自己發現的，我的朋友裡面沒有什麼很喜歡重金屬的人，有一些人喜歡黑死，但是我沒有很大的興趣，所以常常都是一個人去唱片行買東西來聽。

那你和Rafael是什麼時候認識的？你們不是在很小的時候就在一起玩音樂嗎？

沒錯！我們是大概17、18的時候認識的，但是當你18歲的時候，基本上你已經找到你自己喜歡的東西了。我和Rafael 喜歡的東西蠻類似

的，但是我比較喜歡像是Hermeto Pascoal那種比較誇張的東西，那他聽比較多巴西的流行音樂，也是我很喜歡的。我喜歡的就多一些更瘋狂點的東西，還有爵士，我以前根本不認識任何一個喜歡爵士樂的人，玩團的人都討厭爵士樂。但是現在有很多玩爵士的朋友了，他們就是我在巴西的時候，常常會一起出去的幾個樂手，有一個古巴人（**也就是Kiko的第二張專輯的重要功臣鋼琴家Yaniel Matos**）還有我鋼琴老師的兒子。每一次跟他們一起彈我都能學到很多，可以從各種不同的方面了解音樂真的很棒。當你跟一些從不同音樂領域來的人一起Play，你會發現他們的想法真的不一樣，所以就可以學到不一樣的樂句啦、他們看音樂的方式啦、他們的彈奏方法啦，都是跟搖滾樂很不一樣的。跑去跟他們玩一玩，再回來彈搖滾樂會很有幫助，因為我開

始彈吉他就是在彈Rock，對我來說，就像是說我自己的母語一樣，就好像妳在美國，英文說的很好、也很自然，可是回到自己的國家還是會覺得說中文很輕鬆、很開心。我彈Rock的時候是很舒服的，但有時候當我跟那些爵士樂手一起彈時並不是那麼自在，因為不是很有安全感，不過對他們來說那就像他們的家一樣，所以我跟他們一起彈的時候我是在學東西，然後帶著在那邊學到的回家，回來彈我覺得舒服、輕鬆的東西。對我來說現階段這樣很好。

這些爵士樂手都很尊重我，我是一個可以沒有障礙跟他們一起彈爵士的Rocker！而且他們知道我不是要去跟他們比較，因為我有我自己的領域。所以不管我去哪裡，我都很受歡迎，這真的很棒！因為如果你是一個彈爵士的吉他手，想要到一個爵士音樂的pub去表演的話，他們會覺得你是故意去那裡踢館的，但是他們很清楚，我到那裡只是因為我很喜歡去，所以他們很尊重我─我是一個很愛他們做的事情的Rocker！當我再回到搖滾的領域時，我又是帶著新的元素回來，大家都喜歡新的東西，但是要說服其他的Rocker做一些不一樣的東西還挺難的。

Kiko的第二張個人專輯Universo Inverso，我想就是他和爵士樂手們切磋後的菁華，在另外一篇國外的專訪裡Kiko說到：「我的目標一

直以來就是要把我喜歡的東西彈的更好！」Universo Inverso已經證明了Jimi Hendrix和Antonio Carlos Jobim也可以是同一個人…（你大概以為我在開玩笑吧？！這是增田老師聽完這張專輯的感想，也是我愛上這張專輯的原因…）

你寫過這麼多歌，可不可以跟我們分享一下？
有時候曲子最開始的想法突然出現，你自己也不知道他們是從哪裡來的。但基本上就是需要找到跟大家有關聯的東西，他們才容易了解。假設你是一個作家，那你的題材是什麼？小時候我們在學校寫作文，老師會給一個題目，或是給你第一個句子，讓你有方向，你也可以

Mossi -www.mrossi.fot.br

> 如果你沒有時間練吉他的話，你可以用頭腦想，這樣會有幫助。
>
> Kiko Loureiro

這樣－嗯我要從Do Re Mi開始；或是寫一首像某一首歌的歌；或是你今天想要寫一首像Slayer風格的歌；或者是今天要寫關於你的旅行…作曲就是和作文一樣，要找到對你來說『什麼是旅行的感覺』，可能Slayer的東西對你來說會有旅行的感覺，或是你是Bon Jovi迷，所以有一個像是Bon Jovi的東西在你的腦子裡，你就開始彈，不一定是彈一首Bon Jovi的歌出來，而是和他們的風格類似的音樂。彈一彈可能覺得想要有一點像U2，那就彈像是U2會彈的，有這些當參考，然後就可以一直彈下去，彈到你覺得有一個東西你真的很喜歡為止，如果找到很喜歡的idea，就重複用它，用它來作變化，然後就會慢慢找到這個idea能做到最精華的東西。有了這第一個idea，是這首歌的基礎，可能是一個很好的guitar riff，所以整首歌都可以繞著這個riff來發展。其實是看你自己喜歡怎麼做啦，如果你喜歡Van Halen，他們的歌大部分都是以一個吉他的Riff開始，再加上不一樣的riff，一直加，然後再加上solo，但如果去聽progressive的音樂那就會有更多的Riff。如果是progressive的東西，就會變成是要用6個Riff來作曲而不是只用兩個Riff。但是這不見得會讓音樂更複雜，只是你的歌裏面有比較多的元素，比較長的一首歌，或者是可以作出比較多首歌。作曲就是這樣吧！？就是認真的研究這些感受，每一種聲音代表一種感覺，想要有這種聲音，想要這樣的

感覺，然後就知道需要用哪一種和弦。

一個音對不同的人來說，可能是好多種不一樣的感受，所以才這麼難解釋。真的就像是寫作一樣，比如說你寫愛跟恨，但是恨對你來說的意義，和對我來說的意義可能又是完全不一樣的：可能你跟爸爸的關係不好，所以恨對你來說是來自於你跟你爸破裂的關係；但是對我來說，可能是我的狗被攻擊什麼的，都不一定。感覺對每一個人來說都不一樣，可能很強烈、可能只是輕微的。所以作曲真的很難教，你可以教人去聽一個聲音，然後把這個聲音想成一種顏色，或者是一種感覺，這完全因人而異。

當Kiko一直著重「感覺」的同時，他自己又再一次強調「技巧還是很重要！」

練習的時候至少要用兩種方法練，

一種是彈很慢，先確定手的運動對不對，另外一種就是要盡可能的彈快…要彈快不是只靠你的手，而是要先在腦子裡想像手彈很快的樣子，比你可以彈到的還要更快，所以其實不是肌肉的問題，是頭腦的問題！

當我在講技巧的時候，我試著要告訴大家我到底是怎樣把這些技巧分類，每一個技巧都會分成不同的部份，每一個部份裡面又再細分，要搞清楚現在到底在做哪一種移動，例如這個練習是要配合A，這個練習是要訓練B的動作等等，然後我就會一小時練這個，另外一個小時練另外一個，把所有的東西都數字化，這樣就很清楚，至少對剛開始的時候非常有幫助。

我也會有很機械化的練習，來弄清楚到底在做什麼動作，但是每一個也都要配合一些音樂來練，好像彈

Mossi-www.mrossi.fot.br

我們知道的最有名的吉他手們，他們有名都是因為他們的音色，
從來不是因為他們可以彈多快。

Kiko Loureiro

古典鋼琴的人練蕭邦、練巴哈這些不同作曲家的作品，也都是為了訓練某個演奏技巧，這些歌可能就是為了某一個技巧而寫的，比如說某練習曲就是專門訓練琶音。吉他手就不會這樣，那就有問題了，只有一直練技巧，沒有把技巧和音樂合在一起。所以每一個東西應該都要有一首歌可以一起配合練，其實不一定要一首曲子，但是至少要有一組好聽的模進，或是幾組模進合在一起，讓你可以先做一隻手的暖身練習，然後有三首或是四首歌是配合這個練習的。掃弦也是一樣，如果你喜歡掃弦，你可以去找Frank Gemble，他是這種技巧的極致，因為他專門就是彈掃弦，他用掃弦彈和弦啊、琶音、音階，五聲音階等等全部的東西。所以最好是每一種技巧都找一個人當你的範例，比如說交替撥弦的話Steve Morris很強，有一些人就是專門用一種技巧。

所有的練習一定都要從慢的開始彈，雖然在DVD裡面我沒有彈很慢，但是大家一定要從慢的開始，彈快當然很cool，而且有時候也必須逼自己彈地再快一點點，所以像前面說的，至少要用兩種方法練，一種是彈很慢，先確定手的運動，另外一種就是要盡可能的彈快，只有你的頭腦才能讓你進到另外一個層次，要彈快不是只靠手，要先在腦子裡想像手彈很快的樣子，比你可以彈到的還要快，然後才可能彈地到，所以其實不是肌肉的問題，是頭腦的問題，也就是說如果沒有時間練吉他的話，可以用頭腦想，這樣會有幫助。可以想像你在彈音階，讓『手彈很快』變成一個實際的畫面，剩下的就是手的肌肉要跟上來。先彈慢練習手的動作，然後盡量彈快，暫時不管手的動作好不好，先把速度感輸入到你的腦子裡。慢的練好了以後，就要用Drum machine或是節拍器一起練速度。每一個人一定都會這樣說啦，因為這真的就是最基本最基本的東西，超重要！

你彈出來的聲音、音色也很重要！我們所認識最有名的吉他手們，他們有名都是因為他們的音色，從來不是因為他們可以彈多快。重要的是他們彈出來的聲音，他們的touch，一定有特別的地方，比如說他的vibrato、他推弦的方法等等，如果他可以彈很快，那當然很cool，但是最重要的還是他們的彈法。總而言之，對每一個人來說，把自己彈的東西錄起來很重要！仔細聽自己到底彈出怎樣的聲音，好聽的、喜歡的就要盡量保持下去，把自己彈的東西錄起來檢討一下真的很有幫助。

右手的部份是第二步，你很難同時很仔細的看到兩隻手彈的好不好，所以一定要一步一步來，要把音樂看成很長遠的事，像我就已經彈了20年了，所以大家一定要想遠一點。

20年耶！真的很cool！
妳是在笑我老嗎？！太過份了...

不是不是！我的意思是你還這麼年輕就已經20年了耶！你想要的話再彈個20、30年也沒問題吧？
這倒是。經過幾年之後你就可以彈出自己很喜歡的solo，但是就是需要時間，一定要一直彈。我會這樣說是因為有時候我們會覺得自己彈不好就很有壓力，『為什麼我solo彈不好？那些音階我會啊！』這是很正常的問題，因為『音樂』和『會彈音階』是兩回事！重點是你一定要可以have fun，可能有時候練的東西很無聊，你沒有那麼喜歡，但是一定要have fun，把它變有

Mossi -www.mrossi.fot.br

趣，這樣才可以讓你繼續彈下去。幾年以後不知不覺你就變很屬害了！然後別人就會開始聽你彈的東西，而且覺得你很棒。當然對彈的人自己來說不一定滿意，像我，有一些我彈的我根本就不喜歡，就勉勉強強而已，但是這沒關係，因為一定要有『還不夠好』的想法，才會一直進步。或者你也可以想說『對我來說已經夠好了』但總是有很多彈更好的參考範例在眼前，讓我知道『我還可以再進步』。有太多屬害的人可以讓你當目標了，對我來說Allan Holdsworth很棒，是大師中的大師，但是對一個17歲的小朋友來說可能就覺得他不怎麼樣，因為程度實在差太遠了，沒有辦法聽懂他到底在幹麻。他可能會比較想聽一些其他容易懂的音樂。就好像聽巴哈、貝多芬、再聽Starvinsky，Starvinsky可能就太難懂了，很特別但是太複雜、太奇怪了。

以前我的指揮課期末作業就是用Starvinsky的曲子，在一首歌裏面他就用了3/2、2/2、4/2、4/4、7/8、6/8、5/4，很難指。
但是重點是，他這樣變是因為他只

想要表現他可以做到這樣？還是音樂聽起來是好聽的？

音樂是好聽的，你跟著各種樂器的旋律一起走的話，聽起來其實是很順的，只是很難數而已。
恩對，一定是很流暢的，最重要的就是要讓音樂是流暢的啊！如果你繼續練下去，一直彈一直彈一直彈，你會發現從你流出來的音樂也是非常獨特的。語言也是一樣，如果你看很多好的作者寫的書，你的用字遣詞、講話也都會不一樣，所以我們一定要跟好的音樂，還有好的音樂人有連結，不要去聽那些只是「還可以」的人，或是「還可以」的音樂，可以聽好的就去聽好的，比如說你知道這個人是受Jimi Hendrix的影響，他學Jimi彈，那就直接去聽Jimi Hendrix彈啊！模仿的很難比原創的好，去聽最原始的就好了！我喜歡聽John Coltran、Charlie Parker、Herbie Hancock還有Hermeto Pascoal，這些都是原創性很高的人，他們的音樂也都很有深度，所以『去找到最好的』這是一個很重要的建議。但是當你自己不停在進步的時候，這些所謂好的東西也會改變，不同的時期會有不同的學習對象。每次聽到別人說了一個你沒有聽過的名字，如果他們說他很好，你就應該去找找看，買張專輯聽聽看，如果聽起來太複雜了，試著繼續聽下去，讓你的耳朵和頭腦習慣這樣的聲音，有時候問題是在於你的耳朵不習慣而已。

Kiko並不是唯一一個說到「沒有時間練琴你用想的也可以」的樂手；更不是第一個說「要聽很多很多音樂！要Have fun！」的人。其實從Angra的音樂開始，Kiko從來就不是一個只有速度和技巧的吉他手。2007年ESP的講座結束時我問他：「為什麼你不多彈幾首新專輯的歌？」Kiko：「我應該多彈一點對不對？但是我覺得這邊的小朋友看起來都很Rock，所以我就還是多彈一點Rock了…」在No Gravity裡聽到Kiko的創造力和對Rock的熱愛，這是大部分的讀者所認識的他，而對他自己來說，或許「I am more than a Rocker！」（我不只是個搖滾客）才是真正的Kiko Loureiro…

寫手：沈伯（全名沈伯勳）
經歷：職業樂手
　　　音樂教育者（吉他老師　打擊樂器研究　鼓老師）
　　　教材編寫者
　　　電影配樂製作人
　　　詞曲創作人

聆聽 "UNIVERSO INVERSO" 是個驚喜，驚的是Kiko Loureiro——一個容易被定位為大吉他主義人物的重金屬吉他手，卻能在搖滾樂、拉丁、融合樂及爵士間，自在地遊走；喜的是他在這張作品的十首曲子中，彷彿閃爍著絃外之音，於是除了欣賞其音樂本身，也能使我們引發許多想法。

成長自巴西的Kiko Loureiro，十一歲開始其音樂之路，十九歲時已成為Angra的吉他手。以他的成長背景，不難聯想其血液中帶著拉丁美洲民族的浪漫氣質。從他的前一張演奏專輯 "No Gravity" 中，那令人驚艷的表現後，繼而推出的 "UNIVERSO INVERSO"，依然令許多樂迷大為震撼，認為是其成功轉型之作。而筆者更認為，對於Kiko而言，根本無所謂轉型一這僅僅是他豐富內涵裡的其中一個面向。

綜觀整張唱片，最大的特色在於其精彩地融合了大量的巴西節奏（Bossa Nova、Samba、Baiao...），以及華麗而繁複的彈奏手法。曲目間以拉丁fusion為主軸，新加入的三位樂手之功力令人瞠目結舌，乍聽之下演奏任性而灑脫，然而若是將我們的聆賞距離拉遠，則不難發見三位樂手以鼓、貝斯及鋼琴組織起來的架構乃無比穩固。無論從其製作水準、創意、編曲技巧或演奏水準來看，都讓人無從挑剔。平心而論，要精確而紮實地融合這些元素已屬不易，更精采的是，我們在這張專輯裡聽不到一絲勉強、矯揉造作或生澀稚嫩。我們可以說，較其他同齡樂手的作品而言，"UNIVERSO INVERSO" 乃是超齡而早熟的。

平常對Kiko Loureiro抱有期待的Rocker們，這下可真要瞠目結舌了。Kiko為我們上了一課，若是只把他看作Angra的吉他手，未免太小覷他了。開頭的第一首歌Feijão de corda彷彿是種自信滿滿的宣示一繁複的旋律線精妙地流動，Kiko以幽默而略帶神經質的樂句挑起聽覺的渴望，像一道讓聽覺甦醒的開胃菜；鋼琴也巧妙地推波助瀾，牽動著些許的急切焦躁。聆聽者的情緒被一連串地撥弄之後，尚且沒有時間覺得不耐，Kiko旋即釋放出所累積的能量，琴音變得悠揚，在聆聽上只能有「舒服」二字。而尾段的間奏也十分具有可聽性，鼓手厚實的爵士素養在一分多鐘的時間裡，得以令聆聽者們清楚地見識；鋼琴與鼓手則在本曲及後面的曲目中，有許多精采的對話；而貝斯的部分則提供源源不絕且綿密的支撐。

Ojos Verdes則是明顯的三段式架構，吉他音色延續了Feijão de corda的基調，起初吉他旋律走得保守，不久之後開始疾走，以凌厲的手法帶起曲子的溫度，而這正是Kiko的拿手好戲。第二段鋼琴獨奏則毫不扭捏，頗有與吉他分庭抗禮的意味，不油不膩地引導了整首曲子的動態，並且中和了剛烈的氛圍；尾段鼓手之演出顯得紮實而精采，一般來說如此長的鼓獨奏往往容易流於乏味，而Havana裡綿密而充滿張力的鼓點，則能貫穿全曲而未見疲態。樂器間如此巧妙的相互作用，直到整首曲子結束，使聆聽者們渾然不覺是一首長度超過六分鐘的作品。

Havana是首頗具張力的曲子，吉他的樂句宛如情歌，與鋼琴揉合出一種浪漫的氛圍，時而溫柔時而激昂。而鼓的部分則是由細緻並略帶急促的高頻打點，為吉他與鋼琴的唱和推出一個漂亮的反差；貝斯則在低頻部位做了些許的laid-back feel，牢牢地穩住律動，並為全曲帶來漂亮的平衡。

接下來的Anastácia這首曲子，主觀而論，則正中筆者的胃口。相較於前面幾首本曲而言，顯得較內斂而溫暖，旋律部份有著非常濃厚的古巴風味，樂手們細膩的心思隨處可見。編曲上有趣而熱情，段落的安排頗見巧思與膽識；吉他與鋼琴巧妙地運用調式音階，獨奏中不時出現精采創意，鋪陳出一個夢幻且令人微醺的美妙意境。

Monday Mourning則是一首耐人尋味的小品。前奏的手法能嗅到一絲絲Steely Dan的氣味；然而一進入主題之後，其鬆軟而甜美的吉他音色，在稍慢的Bossa Nova催化下開

始融化，瀰漫為一曲香醇而甜美的樂音。正當筆者陶醉其中時，略帶老式現代感撲朔迷離的氣氛又緩慢出現，帶著聆聽者一邊搖擺一邊隱沒在寧靜裡。

而*Arcos da Lapa*以具緊張感的鋼琴與貝斯開場，bass相對於前幾首曲子，乃更具侵略性。Kiko中頻飽滿富鼻音的音色，絲毫沒有乾硬的感覺，靈活多變的旋律從他指尖彈來，竟是出奇地輕鬆快意。節奏部份則是道地的Samba，巧妙的是在鋼琴與吉他的聯手經營下，成為一曲脫俗之作。

*Samba da Elisa*則是稍微緩慢的Samba小品。Kiko自言受到提琴家Paulinho 之影響，營造出一首較為隨性而曼妙的作品。

*Camino a Casa*是一首火力示範之作，樂手演奏也較其他曲子更具侵略性。由於solo的變化層出不窮，在聆聽上全然沒有拖泥帶水的疲憊感，一氣呵成，暢快。

而*Realidade Paralela*的絕妙之處則在於節奏與段落的變化秀、多樣型態的組合方式。吉他甜美的音色，令筆者聯想已故大師—Joe Pass；然而Kiko並未就此陷入大師的框架裡，相反地卻能營造出更豐富的新格局，使人「耳朵」為之一亮。後半段一轉而帶出波麗露氣質，襯上鋼琴的款款呢喃，與前半段相應，竟無半點不適當之處。

在接下來的*Recuerdos*之中，我們可以説：如果把一點點的Cool Jazz、一點點Flamenco放在一起，便是這個模樣了。Kiko過去曾受到Miles Davis的影響，而在這首曲子裡，或許可使我們略知一二。曲中鋼琴的表現相當地內斂，沒有一絲多餘的伴奏，卻總在樂句間適度提點律動的存在，結尾做得相當灑脱，留給聆聽者無窮的餘味。

Kiko的演奏在*Feijão de corda*可説是最為搶眼，吉他絢麗的開場，Kiko出神入化的右手在picking與手指撥弦間快速地轉換或重疊；細心的聽眾在主題裡可以聽到複雜而跳動的低音旋律線或穿插了高音的和聲、主旋律交叉出現，進行目不暇給的Call & Anwser，相繼而來的各個段落裡，以雙手點弦、高速而清晰的圓滑奏、靈活突出的轉調輪流出現，展示創意的企圖心十分明顯。

接下來的*Ojos Verdes*裡，Kiko以跨小節的Grouping手法解構段落，一面切中節奏重心，一面成功地運作出目眩神迷的效果，在後面的段落裡或停或走，緊扣著音樂的起伏。在整張唱片中吉他音色大致由電吉他（*Feijão de corda*、*Ojos Verdes*等等）、空心電吉他（*Realidade Paralela*、*Monday Mourning*等）與尼龍弦吉他（*Recuerdos*）所組成，無論是電吉他的剽悍精準，或是空心電吉他的甜美溫暖，尼龍絃琴的空靈靜謐，Kiko不僅輕而易舉

地遊走其中，更將其神韻發揮得淋漓盡致，有一種"非如此不可"的肯定。其中*Monday Mourning*略帶都會疏離感、淡淡的憂鬱；*Samba da Elisa*道道地地的柔情Samba，裡面不乏十分精妙Chord melody完完全全出脱自一位爵士吉他手的手法；*Realidade Paralela*則兼有西岸樂手的明亮開朗與東岸的精緻深邃，後半段帶出的古巴風情則是另一個驚喜。由於演奏風格變化如此多樣且深入，不禁要使人迷惑，哪一個Kiko才是真的模樣，而他還有多少面向尚未被我們發現，在他的下一張作品問世之前，"UNIVERSO INVERSO"還有許多值得我們細細品味。

綜觀上述，以一張吉他演奏作品而言，"UNIVERSO INVERSO"乃是成功而精緻的。若我們更仔細地探究Kiko的樂曲，會發現能如此成熟地在音樂上跨界表現乃是令人驚艷的。更可貴的是在各型態間的融合過程裡，沒有勉強的感覺；而樂器與樂器之間，沒有妥協，也沒有格格不入；分別來看則性格鮮明，整體觀之又出奇地合理順暢。很幸運能欣賞這張作品，Kiko在樂曲上所展現的深度、廣度與精緻度，在在令人玩味、讚賞。

The Brazilian Heart in the Rocker
搖滾客的巴西魂

巴西音樂裡什麼都有！有groove、有節奏還有其他很多很複雜的東西，是我在這裡講不完的。
如果用一個音階就可以定義一種文化，那是騙人的。

Kiko Loureiro

沒有Stan Getz吹過Jobim的The Girl From Ipanema，沒有小野麗莎，沒有彭靖慧（彭小貓），在台灣知道Bossa Nova的人會更少，但是巴西音樂不是只有嘉年華會的Samba和Bossa Nova而已……
這是Kiko血液裡的熱情，除了熱愛搖滾樂之外，我想你也可以說他是愛國志士吧…

請跟我們分享一下巴西音樂

K基本上對學吉他的人來說，我們可以聊一下巴西音樂的和聲，它的和聲非常的豐富。我們彈搖滾樂的時候大部分是彈只有兩個音的Power chord，你會發現可以用這樣的和弦，彈出從Ramones到Metallica，所有你喜歡的樂團他們彈的Riff。但是接下來就要開始了解什麼是大和弦、小和弦、七和弦、九和弦，所以必須去聽會使用這些較複雜和弦的音樂才行。你需要先學會這些和弦，才可以了解這些音樂。我很幸運的能擁有巴西音樂豐富的和聲，這是我的文化，巴西音樂是我的源頭，所以我一開始就嘗試彈這些七和弦、九和弦、十一和弦，我覺得對每一個人來說，研究這種和聲複雜的音樂真的是非常重要的一件事！而巴西音樂裡面就包含了變化豐富的和聲，這也幫助我可以辨認複雜的音程，一個和弦可以用很多種不同的音程來排列組合，要去習慣各種音響，這樣在即興的時候才有東西可以彈。因為你已經很熟悉這些複雜的音樂怎麼用了。

如果你要跟一個完全不認識巴西音樂的人介紹巴西音樂，你會怎樣介紹？

首先你要知道巴西是一個很大的國家，像是一個很大的倒三角型（一面說一面畫了一個地圖）亞馬遜河流域在上面這邊，這裡有印地安人的東西，有他們自己的音樂。在巴西的東北邊有一個比較大的州叫做Bahia（巴伊亞），巴西最早的首都在這裡。所以早期奴隸都是到這個地方。有80%的人是黑人，大部份巴西的文化就是從這裡開始的，比如說Samba、CADOMBLÉ這些，還有我們之前聊到的那個很有趣的樂器Berimbau，都是從這裡來的，還有大型的AI Patit也是，反正幾乎所有跟巴西流行文化有關的東西都是從這裡開始的，我說那個跟我住在同一棟樓裡的音樂人也是。所以這個區域幾乎是每一個人靈感的來源。這裡有大型的慶典等等，都是很專業的，並且擴散到巴西的其他地方，影響整個巴西。從Bahia開始的音樂大概是這樣。聖保羅在東南邊，里約是再往北一點，里約之前也是首都，所以也有很多黑人，因為大部分的錢都是聚集在那裡，才會有奴隸，也就混合了歐洲人和奴隸的文化。Bahia和里約這兩個地方都曾經是首都，所以有4、5百年的建築；也曾經很有錢，所以音樂大學都在這邊。

50、60年代有很多受正統音樂教育的人，因為當時政府有錢，可以從歐洲請來好的作曲家、音樂家來

教書。里約就像是文化的首都，像美國的洛杉磯那樣：大公司、電視台、海灘、明星都在那裡，Samba也有一部份是從那裡來的。Bossa Nova就是從里約開始。Bossa Nova是從里約的上流社會發展出來的，是有錢人發明的音樂，像是最有名的Tom Jobim（Antonio Carlos Jobim，這是大家習慣的名字，不過巴西人都叫他Tom Jobim），還有Heitor Villa Lobos，一個50年代的古典作曲家，他把古典音樂混合了巴西的地理環境，當你聽他的某些古典作品，你會覺得自己就置身在亞馬遜河流域當中，因為他把大自然的聲音加在他的音樂裡面。Heitor也影響Jobim很多。他的音樂很像是混合了Stravinsky和德布西，再加上巴西的地理環境。他也是一個很愛國的人，會把其他的歌加上巴西名然後再加上巴西的感覺。他就是這個方面給Jobim很大的影響。再加上Jobim出身上流社會，也受到美國音樂的影響，比如當時很紅的Frank Sinatra和Chet Baker的音樂。對他們來說聽爵士樂是很Cool的事。所以Jobim受到古典樂、爵士樂的影響，但是他住的地方－里約－又有玩Samba的黑人，因此他創造的Bossa Nova是包含了Samba的節奏，但是又有古典音樂的弦律，像是德布西的風格，比較是法國那邊那種非常特別的旋律，然後再加上爵士樂的和聲！Bossa Nova就是這樣精緻的音樂，有從爵士和古典樂來的複雜和聲，但是曲子的結構卻不像爵士樂只有A B

段，爵士樂通常是AB兩段然後A、B、A這樣反覆就結束。Bossa Nova在結構上比較像古典樂，段落比較長、更複雜。像我在DVD裡面彈的，至少有兩三個不一樣的段落，這就是Bossa Nova。

從聖保羅開始的有另外一種叫做Choro的音樂，Choro是「哭」的意思，是混合Samba和古典樂，但是聽起來比較憂傷的音樂。像是葡萄牙來的音樂Fado，也是一樣比較淒

我覺得每一個人都應該要從你自己的文化裡面找到屬於自己的音樂語言，然後再把它加到你自己喜歡的音樂上。

Kiko Loureiro

Photo by Kiko @ 里斯本

伯文化的影響。所以也跟著來到巴西，西班牙文裡會唱很像阿拉伯音樂裡面才會聽到的那種「啊~~~~~~」奇怪的長音的唱法，在巴西的北邊就也有這種東西「啊~~~~~~」，不過是加上打擊樂－很大一組的打擊樂團。

像是Batucada。
對，但是每一個區域都有不一樣的樂器。巴西跟美國不一樣，兩邊曾經都有奴隸，但是在美國，因為宗教信仰的關係，打擊樂在非洲原本大多是用在宗教儀式上，比如說要殺動物，或是要召來鬼魂什麼的，歐洲人很害怕這種東西，所以在美國的地主們就禁止黑奴打鼓，他們才去玩薩克斯風啦、小喇叭等等，之後開始唱出藍調的旋律，就是把非洲音樂的旋律混合歐洲人的音階，所以唱出來的東西就是加上特殊半音的五聲音階了。但是在巴西，到今天都還是這樣－沒有什麼是會被禁止的，因此大家都在玩打擊樂，才讓巴西音樂是以打擊樂為基礎。只有歐洲人的後裔、上流社會那些有受正統音樂教育的人才會聽美國的音樂，又把這些音樂混

美。日本的傳統音樂也是，都是唱一些難過的東西。就是類似這樣，只唱難過的，旋律聽起來很傷心。所以Choro可以說是聽起來淒美的古典樂，加上一些打擊樂。

為什麼巴西音樂會這麼吸引你？
因為巴西音樂裡什麼都有！有groove、有節奏還有其他很多很複雜的東西，是我在這裡講不完的。巴西有23個州，每一個地方都有自己獨特的東西。主要像是北部的區域有很多不同的文化，就好像在一個國家裡有另外一個國家一

樣。從古典樂和爵士樂來的和聲非常的豐富，旋律的部份也是這樣，還有來自葡萄牙和歐洲傳統音樂的影響，所以巴西音樂就融合了全部的音樂。但是如果你不想要那麼複雜的東西，可以去聽聽看巴西北邊的音樂，那裡主要是受到西班牙的影響，因為一開始他們被西班牙佔領，那裡有阿拉伯的音樂混合了Flamenco。

阿拉伯音樂加巴西音樂？
沒錯！因為在西班牙，吉普賽的文化和Flamenco文化多少受到阿拉

合打擊樂，所以在40、50年代開始有Bossa Nova。在那之前的巴西音樂並沒有那麼精緻，大部分都是打擊樂為主，所以有Maracatu，還有Bahia 來的音樂、里約來的音樂，然後還有亞馬遜河流域，那裡有不一樣的鼓和各種樂器、不一樣的舞者、不一樣的打扮、還從那些森林裡面流傳出來，不一樣的童話故事，每一個地方有的都很有趣。對一個外國人來說那裡的音樂可能很無聊，因為都是很根本、很原始的音樂，比如說你聽亞馬遜流域的傳統音樂，都很單調，可能只有打擊樂的部份而已。但是如果仔細去研究，會找到很多特殊的打擊樂或是節奏的玩法，可以自己加上你原來有的，來自於歐洲音樂的知識，像是音階啦、各種和弦啦。開始Bossa Nova的人就是這樣做的，Choro也差不多是這樣開始的，在巴西有一些搖滾樂團也是這麼做。可以看到有些來自於亞馬遜流域的搖滾團，加上當地特殊的節奏和樂器。不過這些東西離聖保羅實在太遠了，根本八竿子打不著關係 。我會知道這些是因為我們常常在巡

迴，每一次旅行的時候我都盡量去發掘、觀察那邊有什麼，然後聽聽他們傳統的東西。在聖保羅也有很多來自各個不同地方的樂手，帶著他們當地的音樂特色要在聖保羅表演，娛樂的效果很好。我有一些從那裡來的朋友，他們就會很多很有趣的東西。

這就是我的國家的音樂！我覺得每一個人都應該要從自己的文化裡面找到屬於自己的音樂語言，然後再把它加到喜歡的音樂上。可能是古典樂、可能是搖滾樂、可能是Thresh Metal，不管混合的是什麼，你都會有真正屬於你的辨識度，現在是一個全球化的世界－每一個人都是聯結在一起的。但是真正可以造成改變的，就是必須回到根本。到一個地步一定要回到根源，當你想要做出自己的聲音，一定要忘記現在是一個全球化的時代，而需要回到自己文化的根，但是把它用在你自己喜歡的音樂上。我彈的主要是外來的音樂，但是我把我們自己的音樂消化，然後用這些傳統的東西加在我彈的東西上。在巴西幾乎所有的搖滾樂團都還是唱葡萄牙文的歌，而當中最紅的就是音樂裡加入了最多巴西音樂元素的那些團。對流行音樂來說，如果沒有加一些有特色的東西進去，就像我們今天在車子裡面聽到的那些，會很無聊，聽起來都一樣，大家都是小甜甜布蘭妮。但是如果你加上一些屬於自己的文化色彩，那就會有特色了！或者你也可以朝世界音樂的

方面去研究，把每一個地方的特色都用一點，那也會聽起來很棒！

對學生來說，這就是他們需要聽各式各樣不同音樂的原因了！要出去聽音樂會，比如說這個pub今天是Flamenco之夜，就去瞧瞧他們在幹嘛，一定會有一些令你大開眼界的樂手，可能因此你就喜歡上這個風格，當然也有可能不會喜歡，那可以去找其他各種『XX之夜』都行啦！去聽德國的古典樂啊、阿根廷的Tango、非洲的打擊樂、墨西哥音樂…什麼都可以！但是不管怎樣就是要去找新的東西，每一個都會給你不一樣的啟發或靈感。然後再帶著這些新的靈感回來彈Rock。其實音樂就是－看你怎麼彈、怎麼表現你的樂器－而你一定要讓自己可以不斷轉換方向。

你從哪裡學到這麼多東西啊？
並不是大家都知道這些，我是因為很有興趣、很喜歡，所以就試著盡量去了解。在我家有一個房間就是有鼓、有Bass、有所有的樂器，我

會找人來我家jam。可能今天來的有吉他手、有Bass手，那我就去打鼓；沒有Bass手我就彈Bass，缺什麼我就彈什麼，完全是好玩的。我有一些朋友是亞馬遜流域那邊來的人，我請他們來一起玩，然後請他們教我不一樣的東西，他們就會彈那邊的音樂給我聽，解釋那些奇奇怪怪又有趣的名字。我還有一個從古巴來的朋友，從他身上我就學到很多古巴音樂。當你認識一個有趣的人，越來越熟以後，就會想要更了解他的文化背景。從認識這幾個古巴朋友開始，我就很認真的去看關於古巴的電影啊什麼的，然後跟他們討論關於古巴的文化和歷史等等等等。因為這些人讓我對那個地方特別有興趣。就像妳現在認識我，就會想要多認識巴西一點是一樣的。比如說我到Bahia，認識當地的人，聽到他們的音樂是受當地文化的影響，我可能就會去逛逛看可不可以找到當地音樂的CD。我在各個地方都是這麼做，在台灣沒有時間，不過像我在日本的時候就有

去找他們傳統音樂相關的東西，買了日本古箏的CD，也有請樂器行的老闆教我一些關於日本邦樂的歷史。在巴西我也是一樣，而且在巴西的時候更容易，我只要坐計程車，請他帶我去那一帶音樂有名的地方就可以了，我很愛到處問問題。Rafael也差不多，不過他很喜歡奇奇怪怪的聲音，比如說我在問人家關於音樂、歷史的問題的時候，如果那個人講話聲音很特別，或是腔調不一樣，有一些貧窮的地方講話就是會不一樣，那Rafael就會立刻把他隨身帶的MD拿出來錄人家的聲音回去，或是他可能就走到馬路中間把那個環境的聲音錄起來。當你到處旅行的時候，就是要一直學不一樣的東西，從妳身上我就在學到底日本人跟華人有哪裡長的不一樣啊！

一個人對音樂的熱愛到底可以到什麼程度？

音樂或是其他任何形式的藝術，如果沒有文化的支撐，又可以走到什麼程度？

一問到巴西音樂，Kiko立刻畫出了巴西的地圖，一一指給我看各個主要的區域和城市，大概介紹那裡的音樂、歷史、文化背景，中間他還有點疑惑地問『妳真的要我講這些嗎？讀者有興趣嗎？』我說『這是你的一個部份，我們想要大家認識不一樣的你！不是只有Angra而已！』況且，還有什麼比請一個巴西的音樂人來介紹巴西音樂更合適？

不過當我們大家都很努力在學老外的音樂時，是不是也該試著找找，自己到底流著什麼樣的血液…

Mossi -www.mrossi.fot.br

不管你混合的是什麼，你都會有真正的辨識度，現在是一個全球化的世界－每一個人都是聯結在一起的。但是真正可以造成改變的，就是你必須要回到根本。

Kiko Loureiro

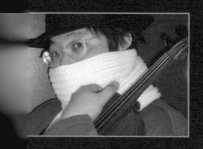

寫手：增田 正治 2007.9.5
經歷：大阪人 知名爵士吉他手/吉他教師
　　　畢業於Berklee College of Music
　　　曾任台北TCA主要講師
　　　目前任教於文化大學推廣部DTEC數位媒體科技教育中心

Universo Inverso/ Kiko Loureiro

這是一張令人驚喜的專輯－充滿了意想不到的音樂元素和品味！絕對不只是一張一個金屬團的吉他手所發行的個人專輯而已，其中包含了不得不聽的音樂性和感染力！Angra的成功以及第一張專輯 **"No Gravity"** 的發行，Kiko Loureiro多年來已經是全世界知名的金屬指標之一。加上ESP吉他以及ZOOM效果器的代言，Kiko在這個新世代造成亙大的震撼，特別是在日本－Kiko的簽名琴要價68萬日圓（約19萬台幣），只接受訂購並且在4個月為可以交貨。

在 **"Universo Inverso"** 這張專輯中一起參與的樂手還有：

Yaniel Matos是來自加樂比海（古巴）的鋼琴家/大提琴家。他幫助Kiko找到創作的靈感，並在這張專輯中一同演奏。

Cuca Teixeira，聖保羅（Sao Paulo）當地的鼓手，他是對各種其他現代的音樂風格都十分開放的拉丁音樂大師。因為了解、擅用空拍，所以在他的音樂裡，張力、表情的變化可以非常大。

Bass手Carlinhos Noronha，也是聖保羅當地，彈奏森巴音樂以及MPB(註)的錄音室樂手，但是彈起swing也就像他掌握Latin-Brazilian節奏一般得心應手。

（註）Modern Popularite Brazileira：也就

是現代巴西的流行音樂，知名的樂手像是Djavan、Milton Nascimento、Toninho Horta、Ivan Lins等等。

專輯當中的第一首歌，**Feijão de corda**，是受到Baião以及Maracatu這兩種巴西節奏的影響。民族音樂風格明顯，但是在音階的運用上卻非常巧妙，像是大量運用了Lydian ♭7。在整個巴西歷史當中也佔有重要地位的知名手風琴家Luiz Gonzaga也跨刀參與演出。Fusion風的電吉他破音加上鋼琴的音色，是這一首歌另外一個相當成功的組合。

#2 Ojos Verdes（Ojos Green）：這首歌是以Buleria這種6/8拍、常在Flamenco音樂中聽到的節奏為基礎，可以聽見Kiko微帶破音、又加上了西班牙風的電吉他。和Al Di Meola比起來，Kiko無庸置疑的多了一些巴西/古巴的味道。在這樣複雜的音樂當中，鼓手Cuca Teixeira的solo游刃有餘，再次表現出大師級的技巧。

#3 Havana：一開始我原來以為會是一首Van Halen的歌，但其實不然－這是另外一首創作。節奏上是類似Chick Corea般極度複雜的現代Latin-Jazz。或許這首歌就是根據這位偉大鋼琴家的家鄉所命名的…

#4 Samba da Elisa（Samba of Elisa）：這首歌裡Kiko表達了他對來自里約熱的森巴樂作曲家Paulinho da

Viola的景仰。其實一點也不必大驚小怪，因為Kiko自己也是來自於里約。

#5 Camino a Casa(Camino the House)：古巴節奏加上吉他已經是典型的拉丁搖滾－沒錯！就像是Santana！我想我們也可以從這裡看出來是哪些音樂影響了Kiko的音樂。

#6 Anastácia：一般來說這是女孩子的名字，但是卻是Kiko家小狗的名字－很幽默吧！

Kiko：「牠是小公主Tácia！」

#7 Realidade Paralela（Parallel Reality）：這裡面也可以聽到爵士樂級古巴－拉丁音樂（Cuban-Latin music）所給他的影響非常深遠。

#8 Monday Mourning：純真、令人印像深刻的旋律線在小和弦進行上游走，可以聽出來這是Kiko對大師級的巴西音樂作曲家像是Antonio Carlos Jobim以及Edu Lobo等人的欽佩。在這裡面Kiko用clean tone表現他的即興技巧，如果這是這張專輯第一首歌的話，可能會有很多老粉絲們以為自己拿錯專輯了吧！

#9 Arcos da Lapa（*Arcs of the Lapa*）：曾經聽別人說過這個地方－Lapa的拱橋－是到里約觀光絕不可以錯過的景點。整首歌一樣用Samba的節奏來貫穿。

#10 Recuerdos（*Memory*）：這個歌名會讓我聯想到有名的古典吉他協奏曲－*RECUERDOS DE LA ALHAMBRA*。但是在這一首歌裡聽起來比較像是巴西風的尼龍弦吉他演奏而不完全是Spanish guitar。很希望他在這一張專輯裡有更多向這種風格的演奏，但是沒關係，我們一起期待下一張吧！

整張專輯裡Kiko似乎只用了TAGIMA的電吉他。我可以很誠實的告訴大家，Kiko先前的作品，不管是Angra的專輯或是他的第一張個人專輯 **"No Gravity"**，敝人都不是非常喜歡，不過 **"UNIVERSO INVERSO"**，卻是令我驚奇的一張好音樂！我現在想要再多聽一首Kiko的作品－就是只有日本版的專輯才有的bonus track了！！

如果有一個人說「來試試看用Jimi Hendrix的tone去彈Antonio Carlos Jobims的Bossa Nova」你大概覺得他是胡扯，怎麼會有可能？但是Kiko卻做到了！

2005年
第一次遇見Kiko
聽見他彈鋼琴和木吉他的時候，真的很難把Angra的Kiko跟拿著木吉他的Kiko連想在一起⋯Kiko「那是在台上啊⋯」

2006年
在Angra的台北演唱會前，Kiko「我的第二張專輯國外已經發了！妳先上網去聽吧！」我還記得那天晚上我坐在電腦前戴著耳機，聽到雞皮疙瘩掉滿地－真不敢相信這是一張Rocker彈出來的Jazz/Latin專輯⋯

2007年
再一次遇見Kiko，他說「我現在在學長笛耶！妳點個歌吧！我來吹吹看！」一面說一面把他的長笛從吉他袋的前袋裡拿出來⋯應該還沒有看過一個長髮、戴金屬飾品和皮手環的人在你眼前吹長笛吧？我也不相信自己的眼睛⋯

Kiko「我這次在日本也買了一把三絃琴（三味線，Shyamisen），下次在日本講座的時候，結束前我一定要把它拿出來然後彈一首歌給他們聽！」說著就拿起ESP他自己的簽名琴，開始模仿三絃琴的彈法和音色，我想大概不用等多久日本的粉絲就可以看到他彈三絃琴了吧⋯

每一次遇見Kiko都有不一樣的驚喜，每一次都會因為他對音樂的執著和熱愛而驚嘆，看書加上看Youtube來學長笛，Kiko說「音樂難學的部分還有知識我都會了，剩下的只是這個樂器需要的技術而已，其實不難啊⋯」我忍不住又問「除了音樂之外你還有做什麼別的事嗎？」Kiko「我最近試了風帆（wind surfing），很有趣，就是一個完全不一樣的東西，會學到很多關於風的知識是你從來都不知道的，像我今天在台北的路上就覺得『恩今天的風很不錯，可以去玩風帆耶..』⋯ 不過基本上我覺得我很像對音樂上癮一樣，我通常不會去嘗試做新的事情，都是去學一個新的樂器啦！」還記得第一次見面是同時訪問Kiko和Rafael，我們聊到 Angra的開始，Rafael嬉皮笑臉地說「我那時候聽說有一個人每天都在家裡彈琴不出門的，我就想『那他一定會是一個很好的吉他手！』所以我就自己跑去找他來組團了！」雖然感覺很像是Rafael故意要把他的好友說成一個怪胎，不過我相信Kiko曾經是個宅男（現在是沒有空宅吧⋯不過沒有宅過怎麼可能琴彈這麼好？），現在該你選擇了：

要很強、很屌但是被笑『很宅』？
或是很會耍花槍、很帥，但是實力很虛？

其實『不宅』和『很屌』應該也可以有交集，不過我想要選擇先去巴西玩一趟，其他的回來再說吧！

＊Photo by Kiko
＊巴西北邊的海灘

Kiko「Chinese eyes！」

＊葡萄牙的老人與吉他

＊巴西的風帆聖地

側拍

＊里斯本街景

Alternate Picking
交替撥弦

我覺得學一個樂器最開始的一兩年是最重要的，因為你開始真的可以彈東西出來，知道手應該要怎麼運動，對之後的技巧打下一個基礎，也開始接觸各種不同的樂風，慢慢會決定之後要往哪個方向。對我來說，我那時候很注重技巧的小細節，所以現在才可以在彈的時候想都不用多想。

Kiko Loureiro

One note per string
一弦一音

16:54

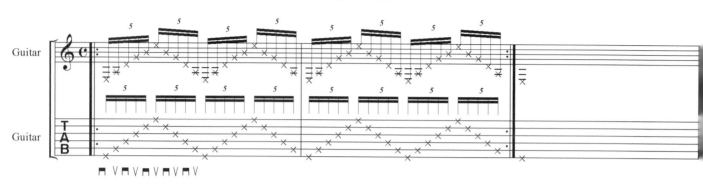

String skipping
跨弦練習

17:15

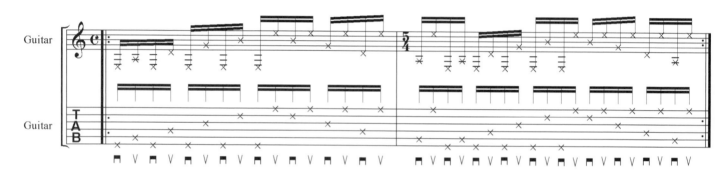

Exercise for both hands
雙手練習

17:39

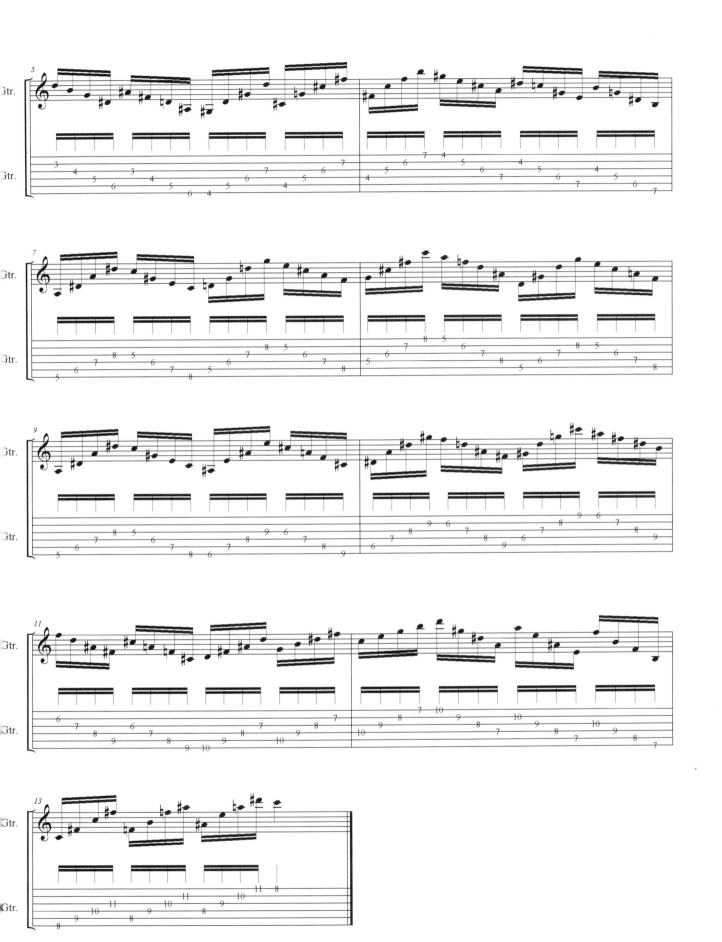

Chords with string skipping

和弦進行（跨弦）

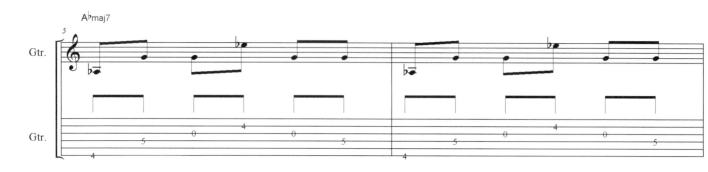

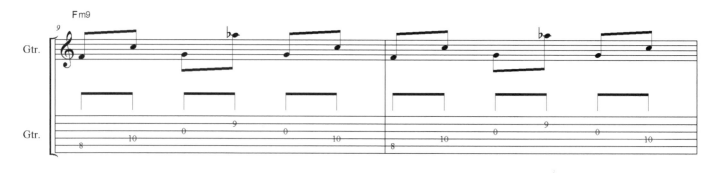

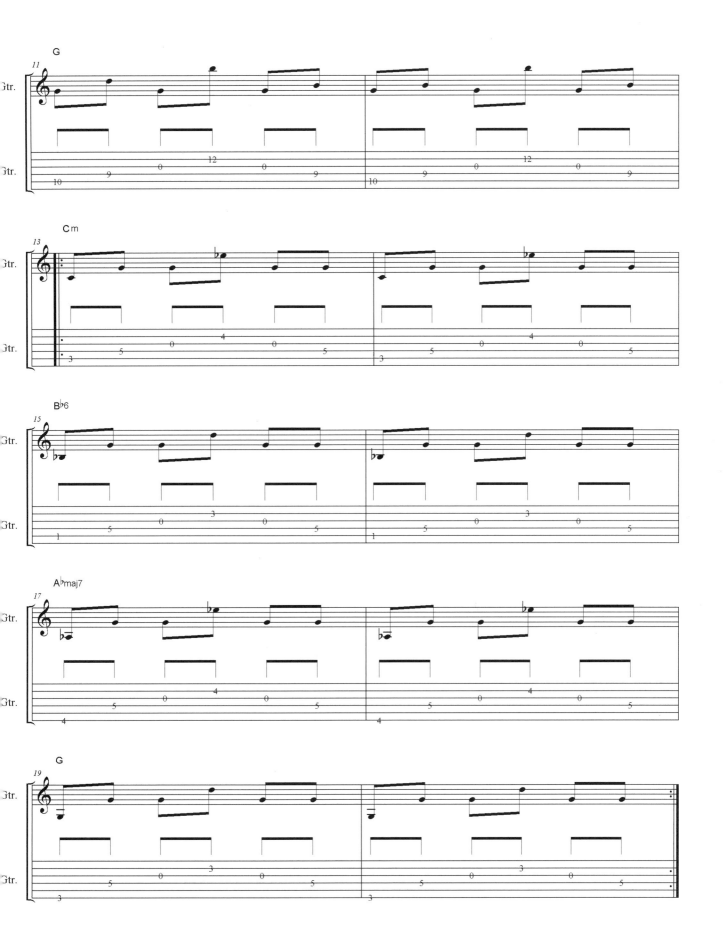

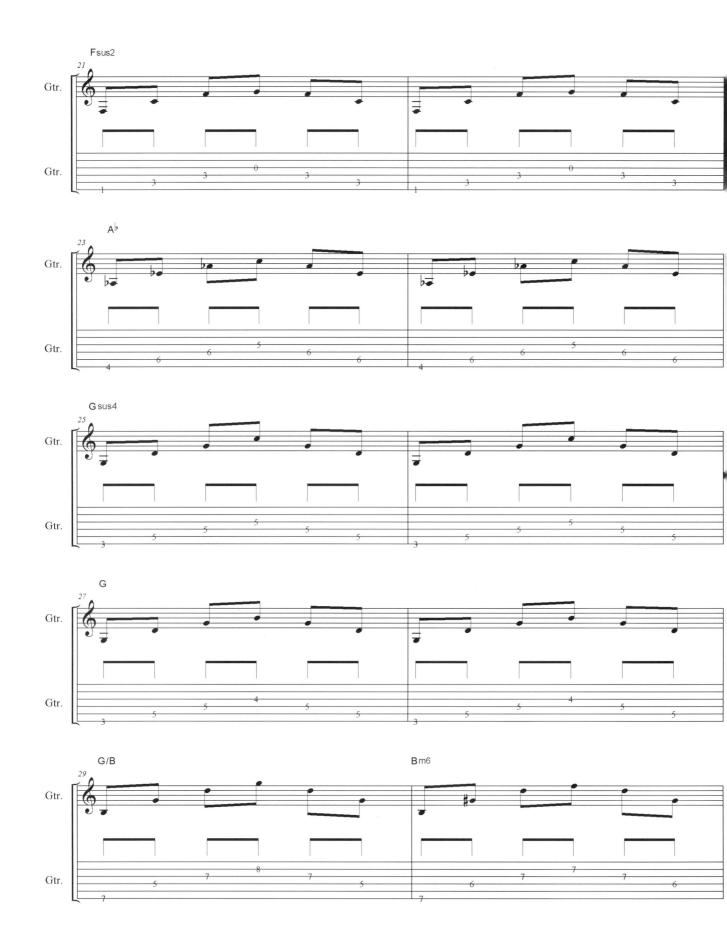

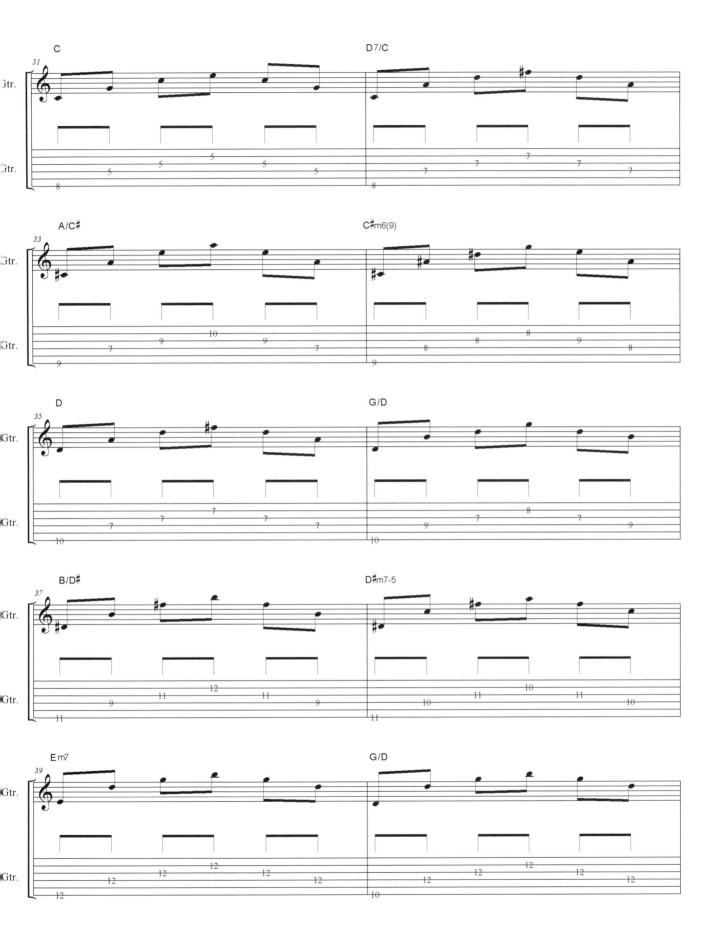

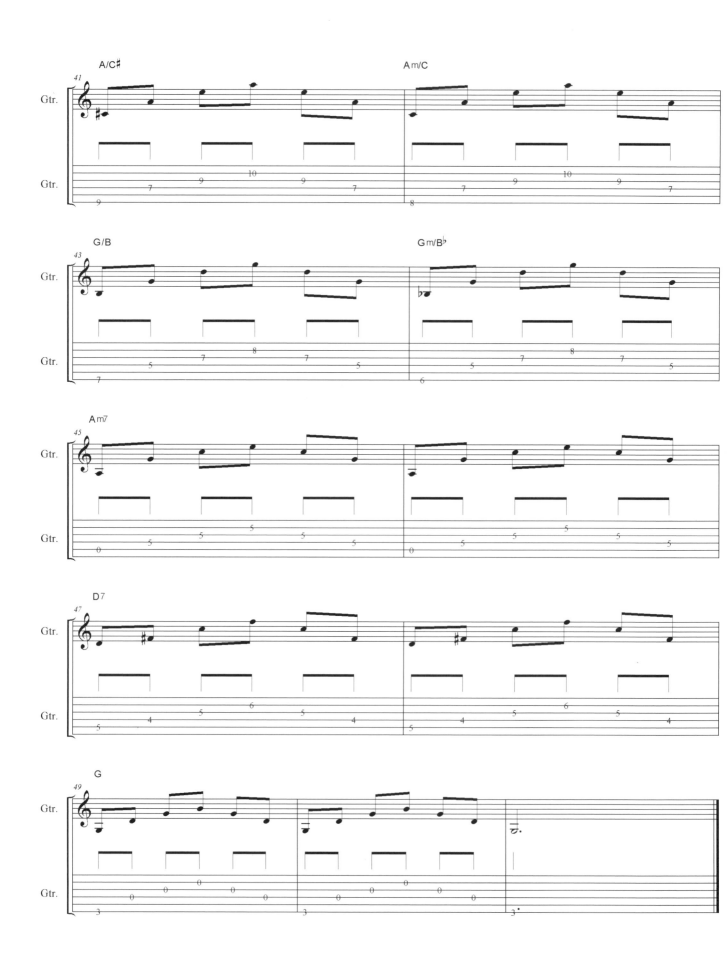

Two notes per string 1

一弦二音 1

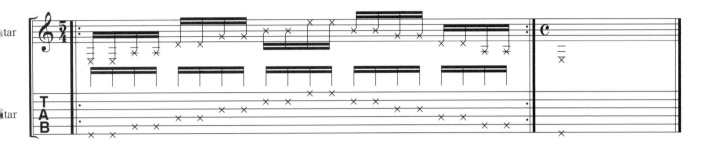

Two notes per string 2

一弦二音 2

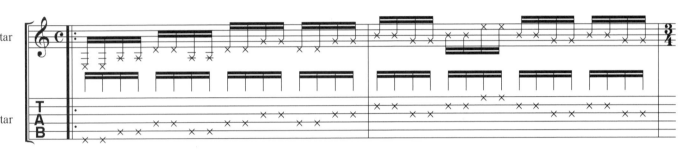

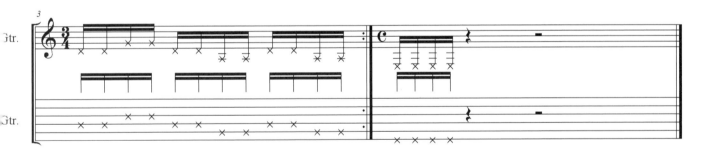

String skipping

跨弦練習

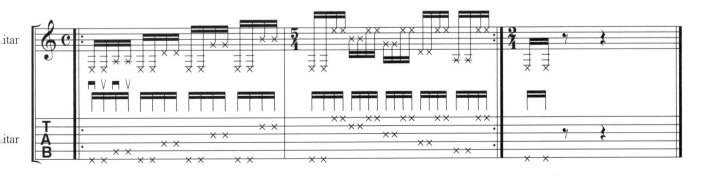

Pentatonic scale

五聲音階 1

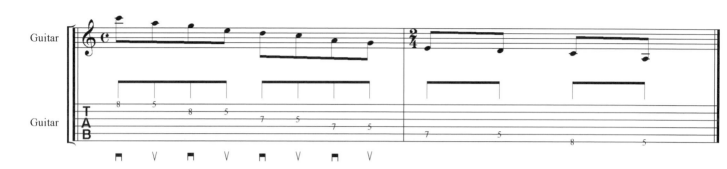

Pentatonic scale

五聲音階 2

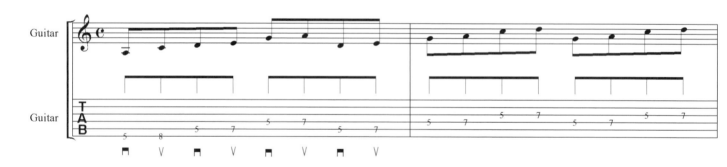

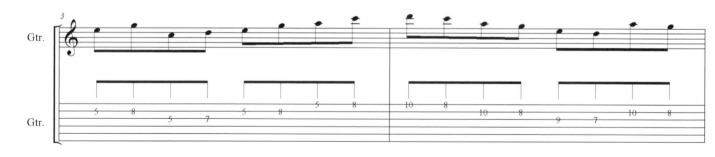

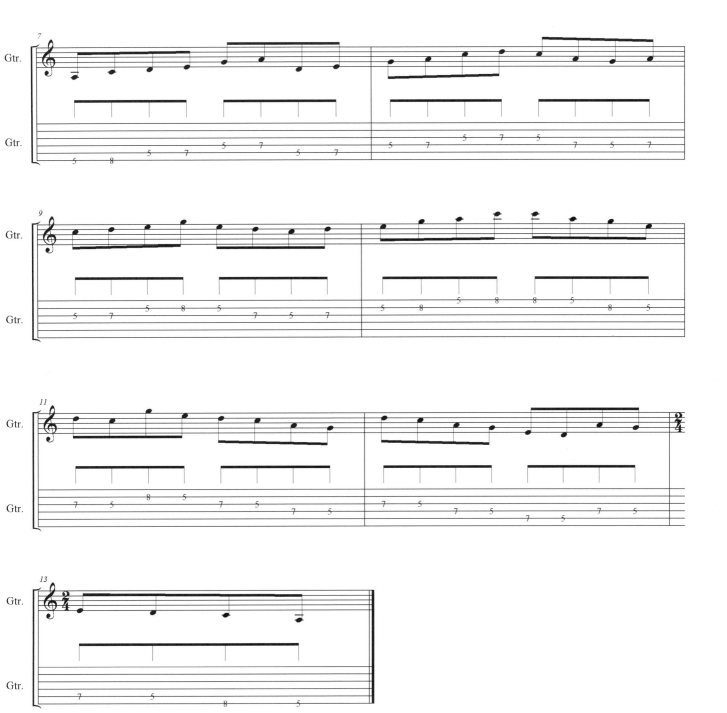

Pentatonic with string skipping

五聲音階跨弦練習

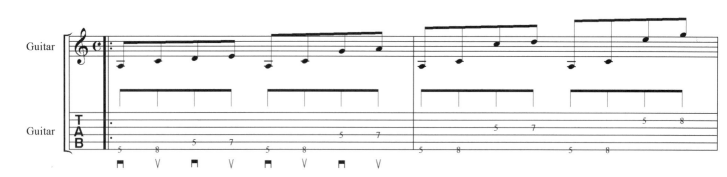

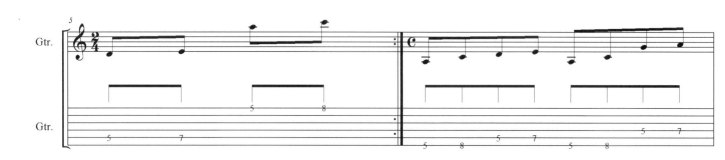

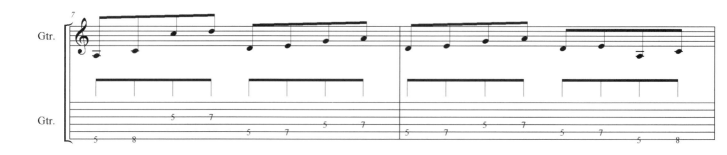

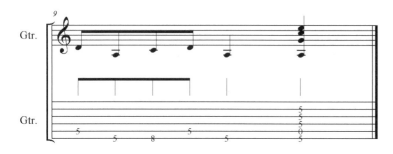

Chord progression

和弦進行練習

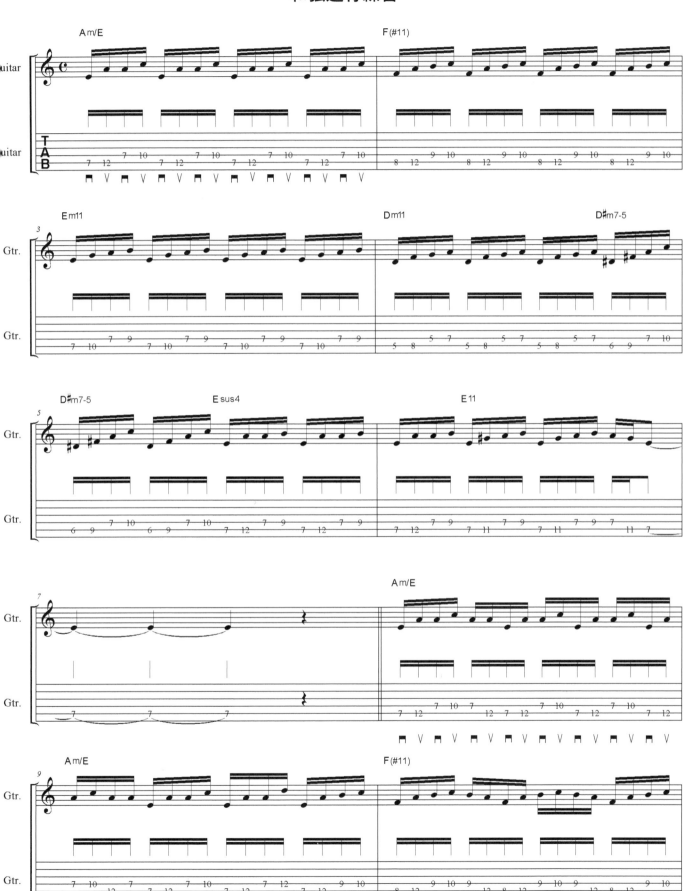

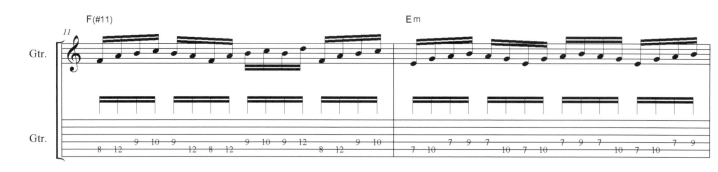

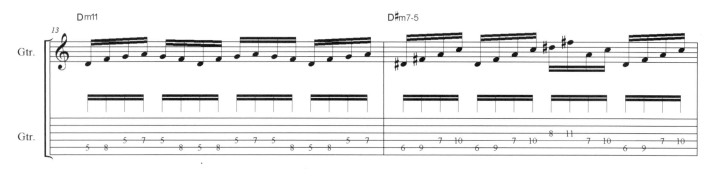

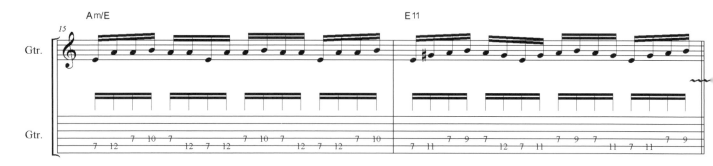

Three notes per string 1
一弦三音 1

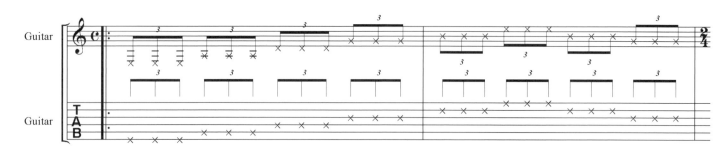

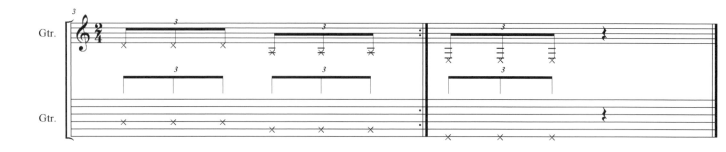

Three notes per string 2

一弦三音 2

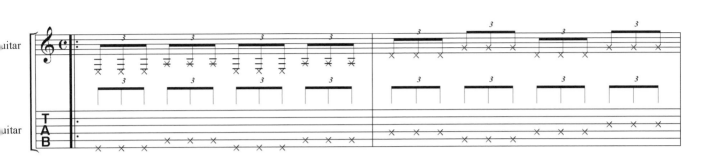

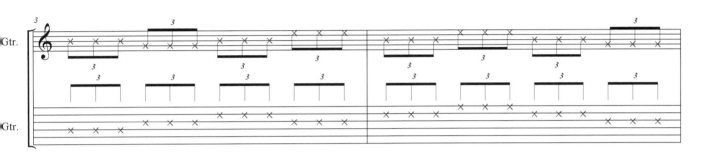

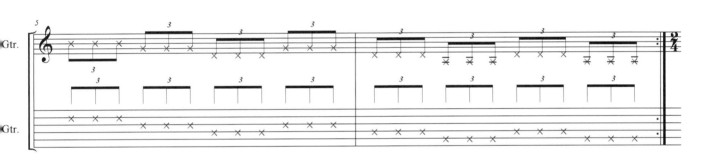

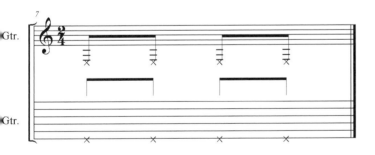

String skipping 1

跨弦練習 1

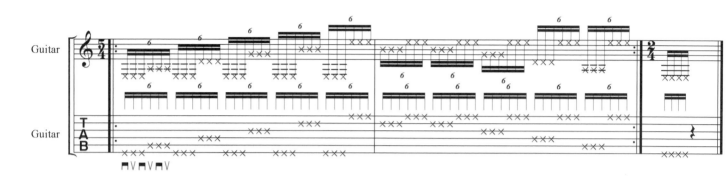

Modes 1

調式 1

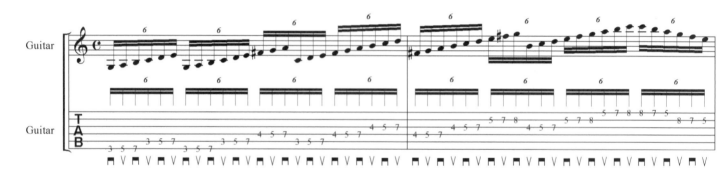

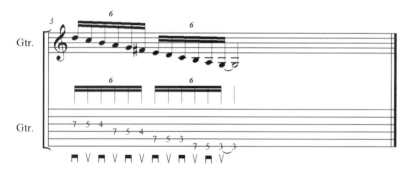

Modes 2

調式 2

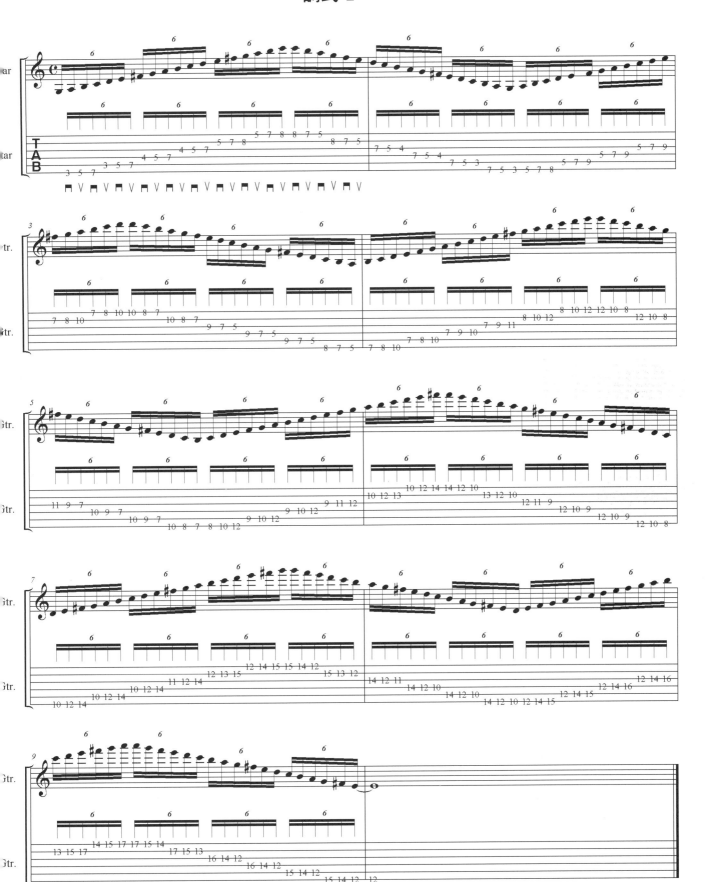

String skipping 2

跨弦練習 2

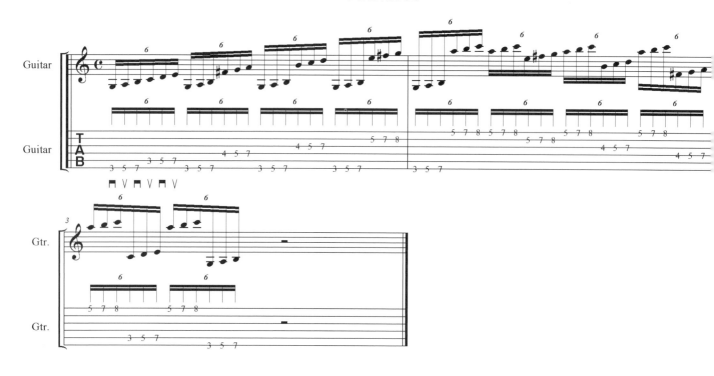

Four notes per string 1

一弦四音 1

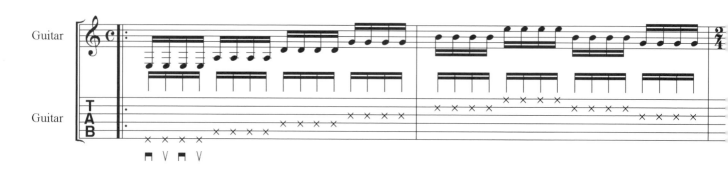

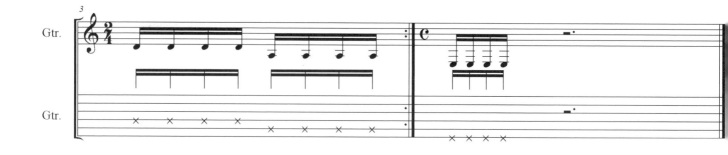

Four notes per string 2

一弦四音 2

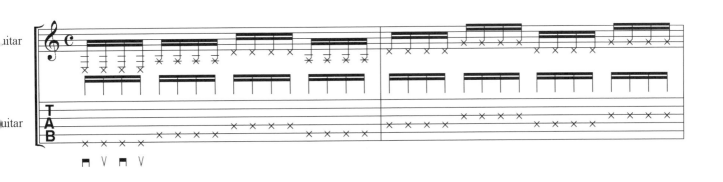

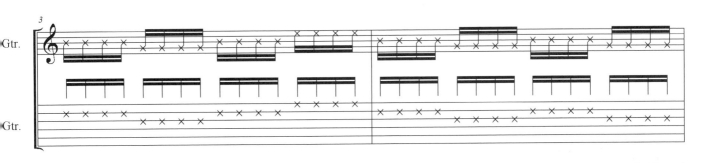

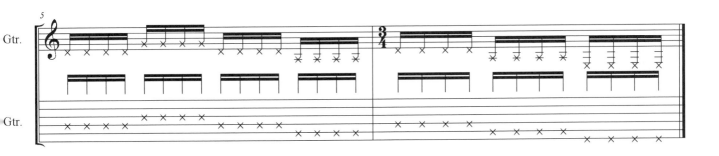

String skipping

跨弦練習

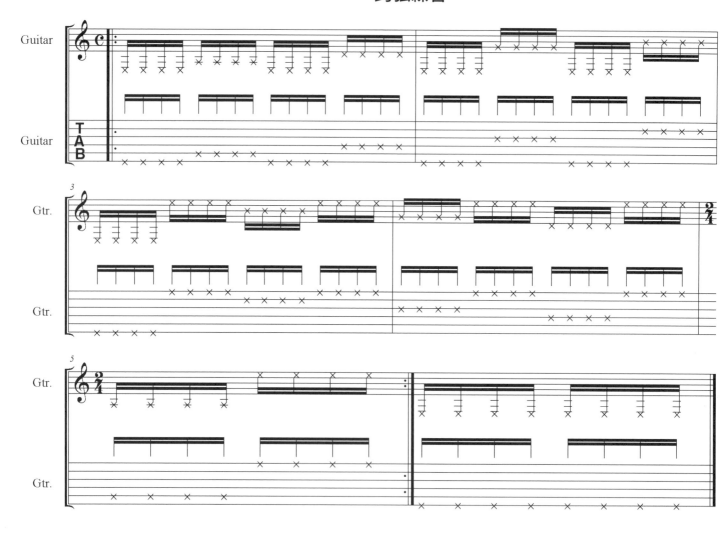

Chromatic scale

半音階

Chromatic with string skipping

半音階跨弦練習

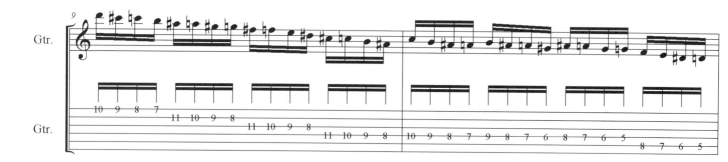

不過說實在的你只要去買一本爵士樂理論的書就可以學會所有爵士樂用的音階，但是你還是不能彈的像 John Coltran 一樣。如果想要彈的像 John Coltran 或是其他任何一個爵士樂大師，只需要一直聽他的東西，然後彈就是了。

Kiko Loureiro

Sweep Picking
掃弦練習

掃弦來説，最重要的是你彈出來的聲音（音色）。這是一個可以讓你彈
快的技巧，所以大部分的人都會只彈快，忘記要注意每一個音的音色好
好，但是音色其實才是最重要的。

Kiko Loureiro

Sweep picking 1

掃弦 1

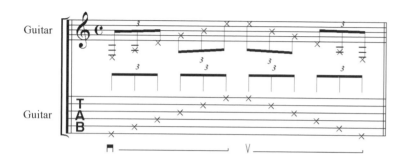

Sweep picking 2

掃弦 2

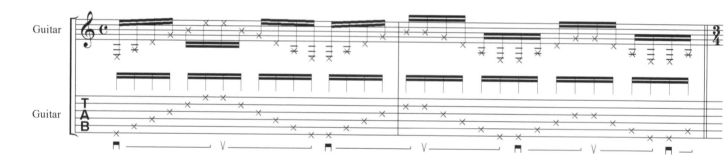

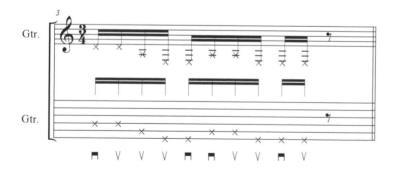

Alternate picking V.S Sweep picking

交替撥弦 V.S 掃弦

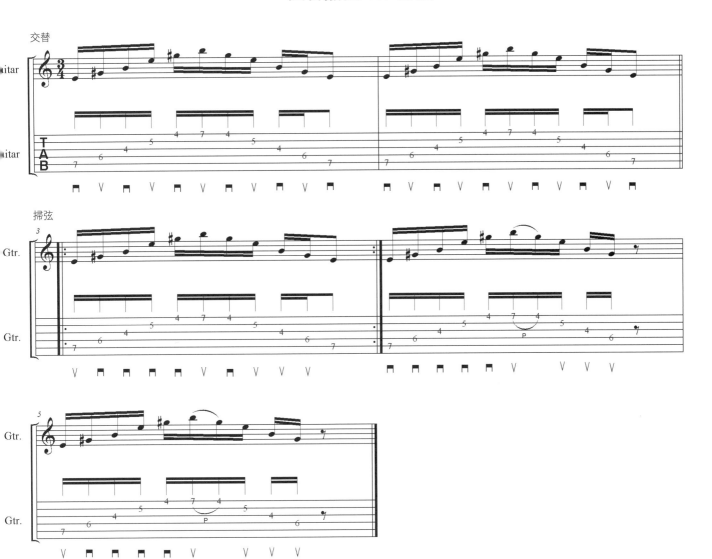

Four chords sequence

和弦模進 1

27:32

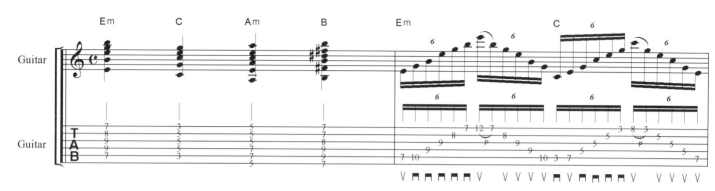

Cmaj7+9

28:37

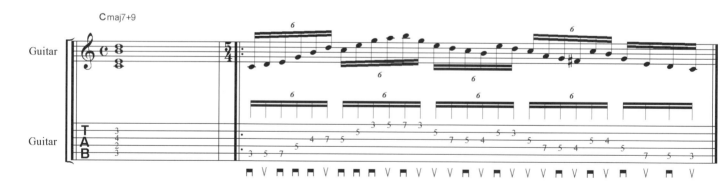

Three chords sequence

和弦模進 2

28:57

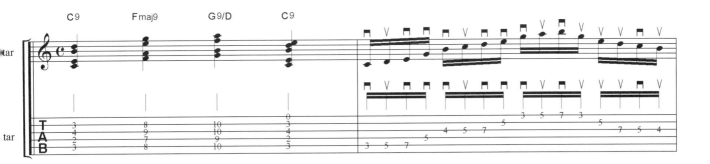

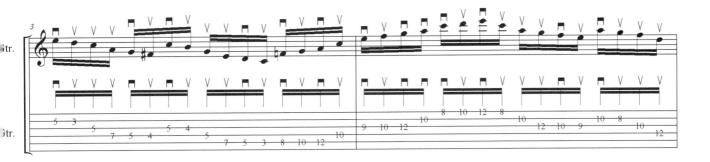

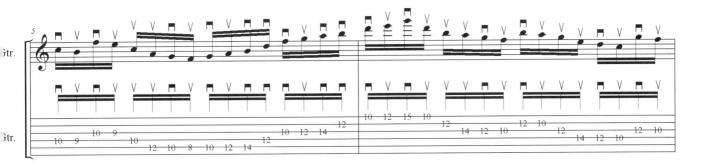

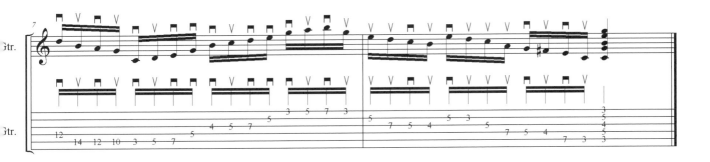

Tapping
點弦

如果你聽很複雜的音樂，你的耳朵就會習慣那些東西，然後你的手指就會慢慢可以往那些地方彈，因為你的耳朵知道那是什麼聲音，如果你從來就不知有那些東西，你怎麼可能彈的出來？

Kiko Loureiro

Two hands tapping-1
雙手點弦

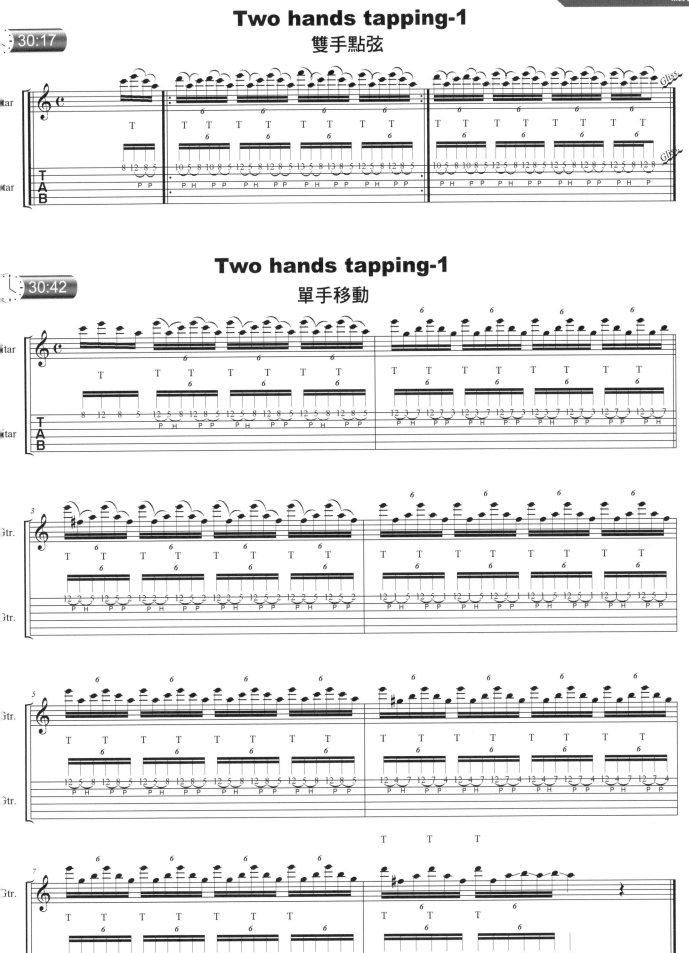

Two hands tapping-1
單手移動

Two hands tapping-2

雙手移動

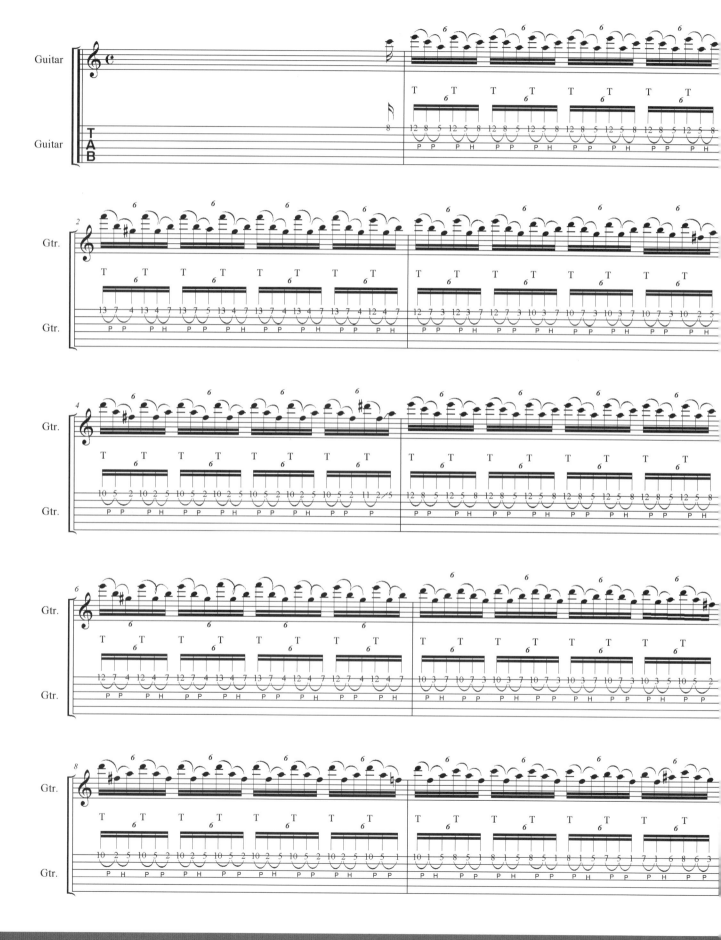

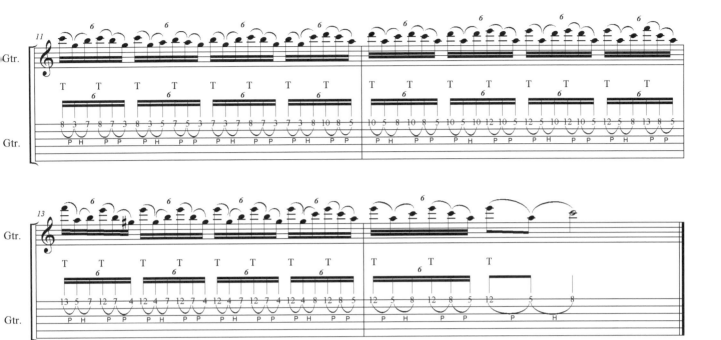

Two hands tapping-3

雙手移動（慢速）

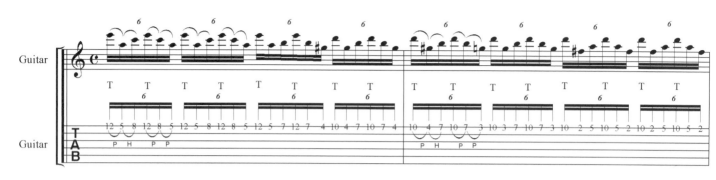

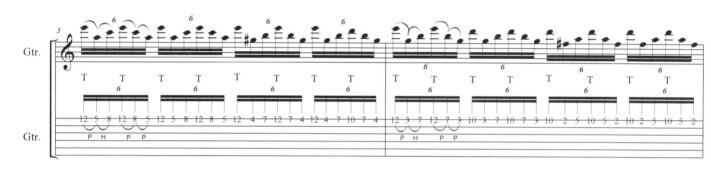

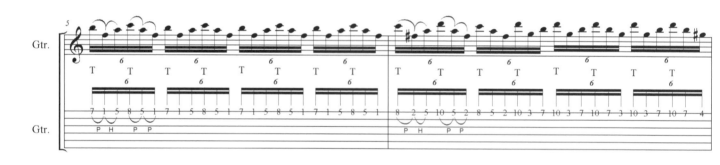

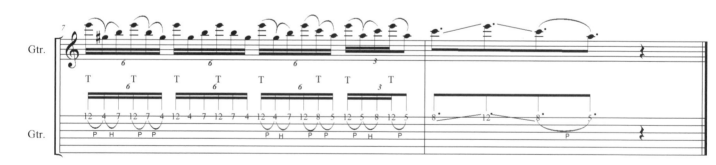

Nova Era

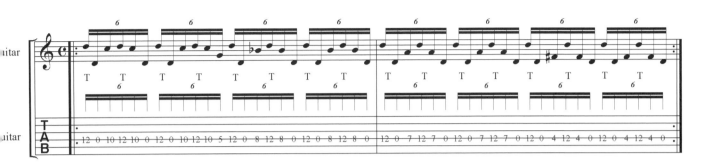

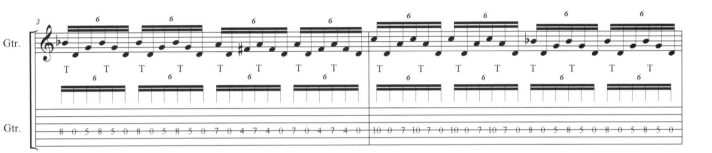

G major Scale 1

G大調音階 1

G major Scale 2

G大調音階 2

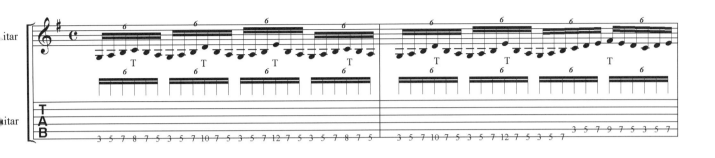

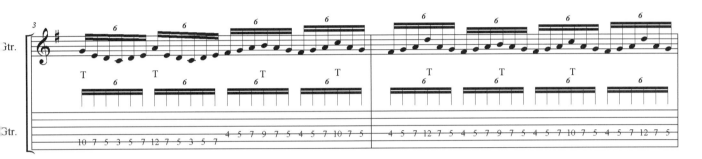

本例採雙手點弦，譜例上標有T記號處為右手點弦位格，其餘皆需以左手點弦

A minor Pantatonic

A小調五聲音階

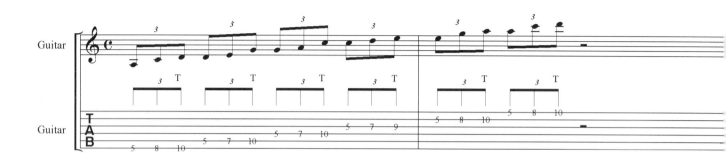

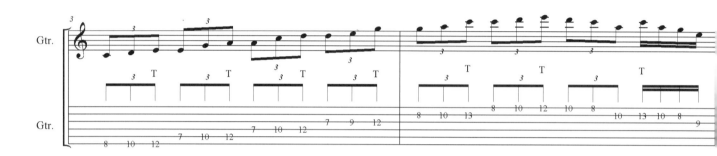

本例採雙手點弦，譜例上標有T記號處為右手點弦位格，其餘皆需以左手點弦

A minor Arpeggio

Am琶音

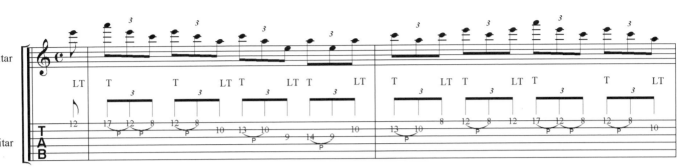

LT=左手點弦

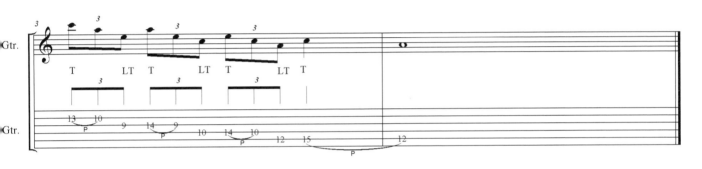

Arpeggio (From Angra)

琶音（From Angra）

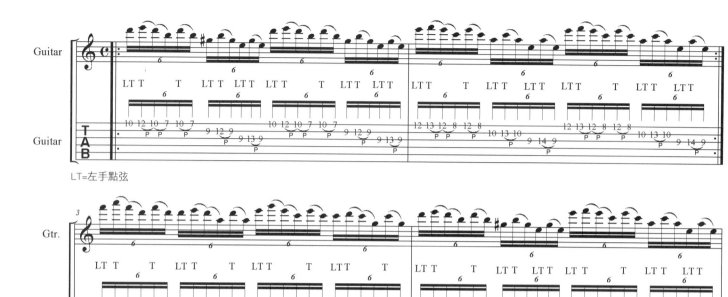

LT=左手點弦

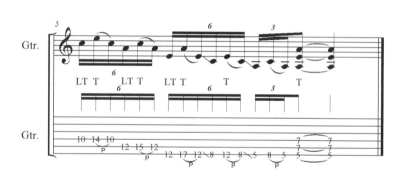

Finger Exercise 1

手指訓練 1

All Right Hand tapping

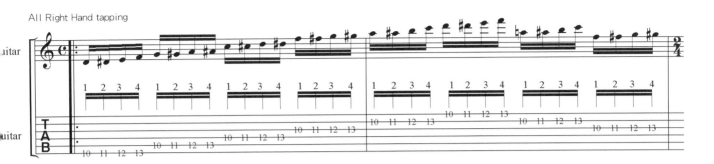

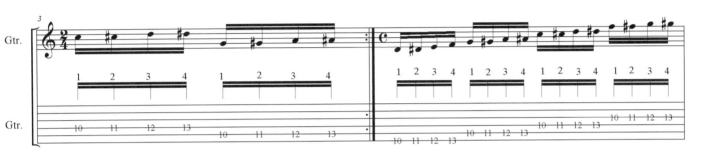

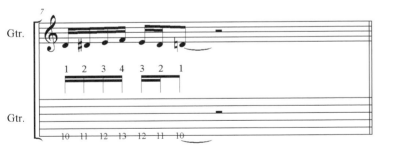

Finger Exercise 2 (Scales)

手指訓練2—音階

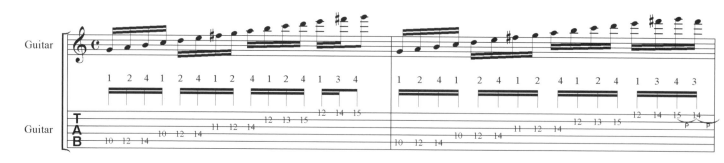

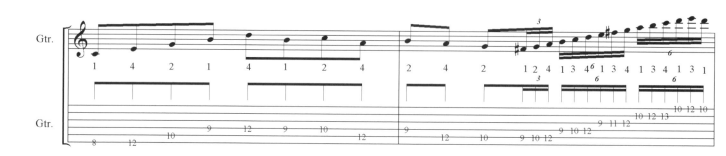

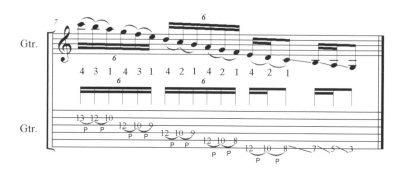

Tapping Into My Dark Tranquility

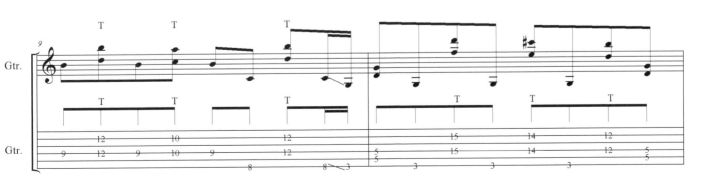

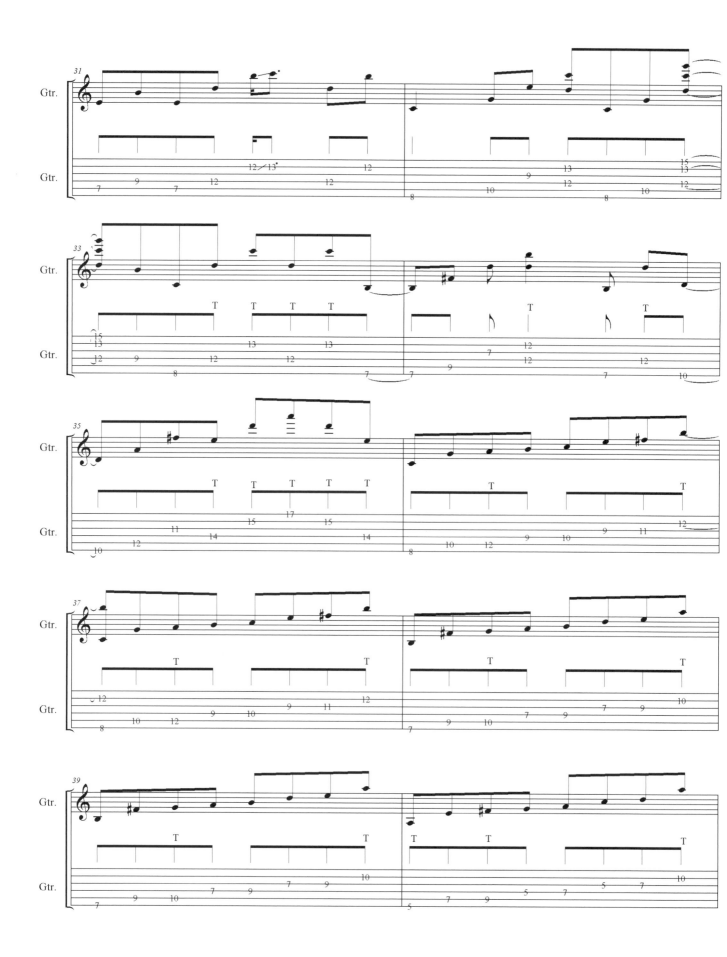

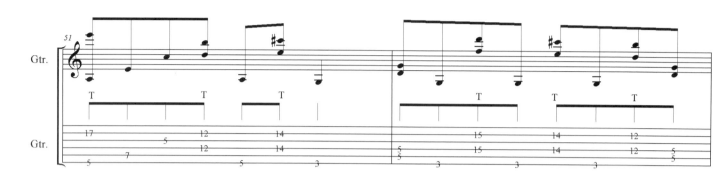

Black Orpheus-Chords
左手和弦

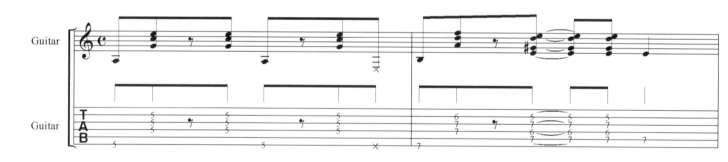

Black Orpheus-Melody

右手旋律

Black Orpheus

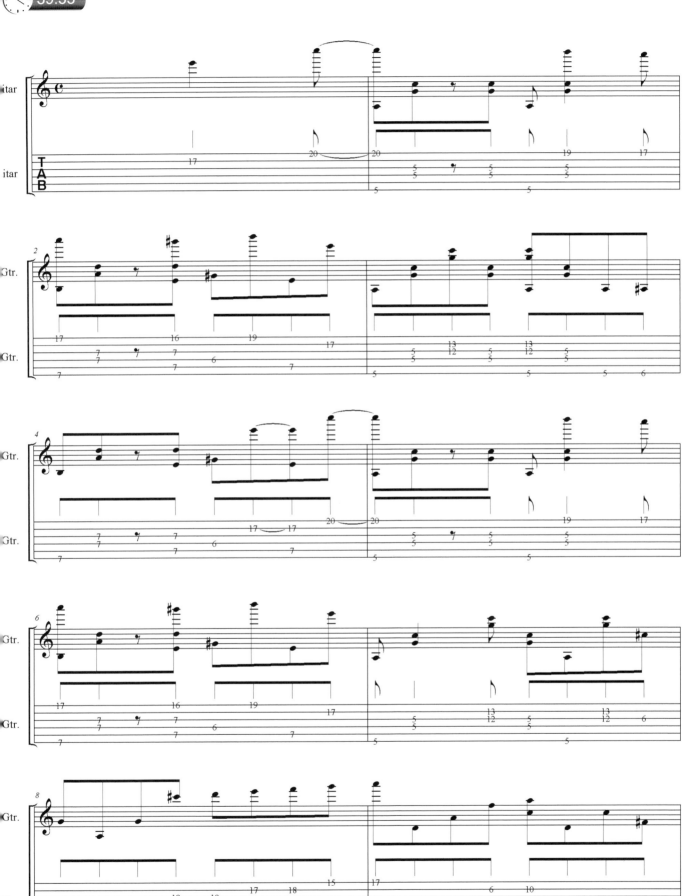

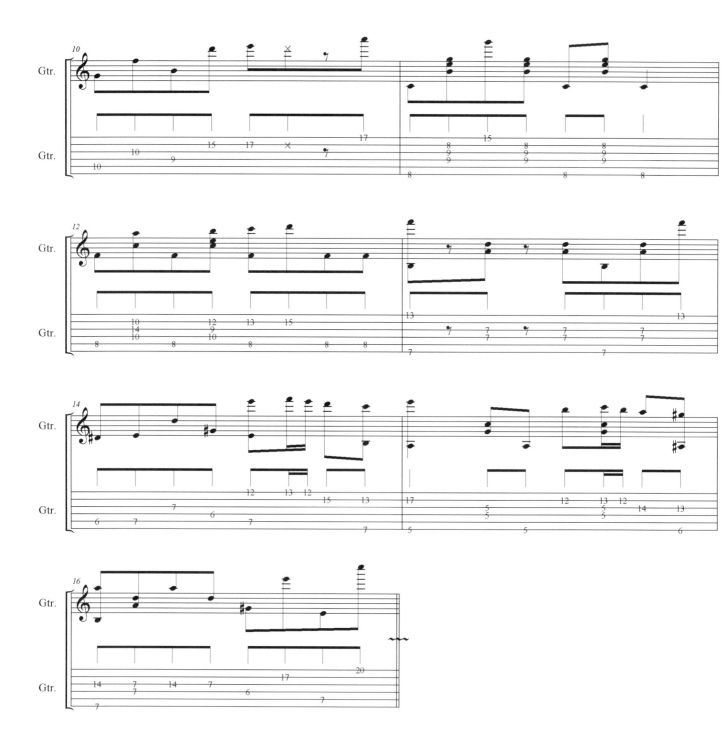

G major triad

G和弦

Gm triad

Gm和弦

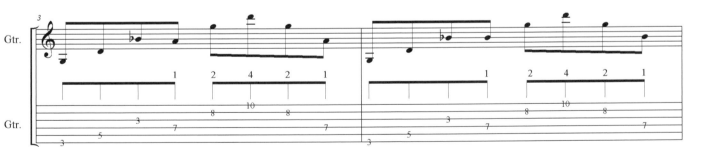

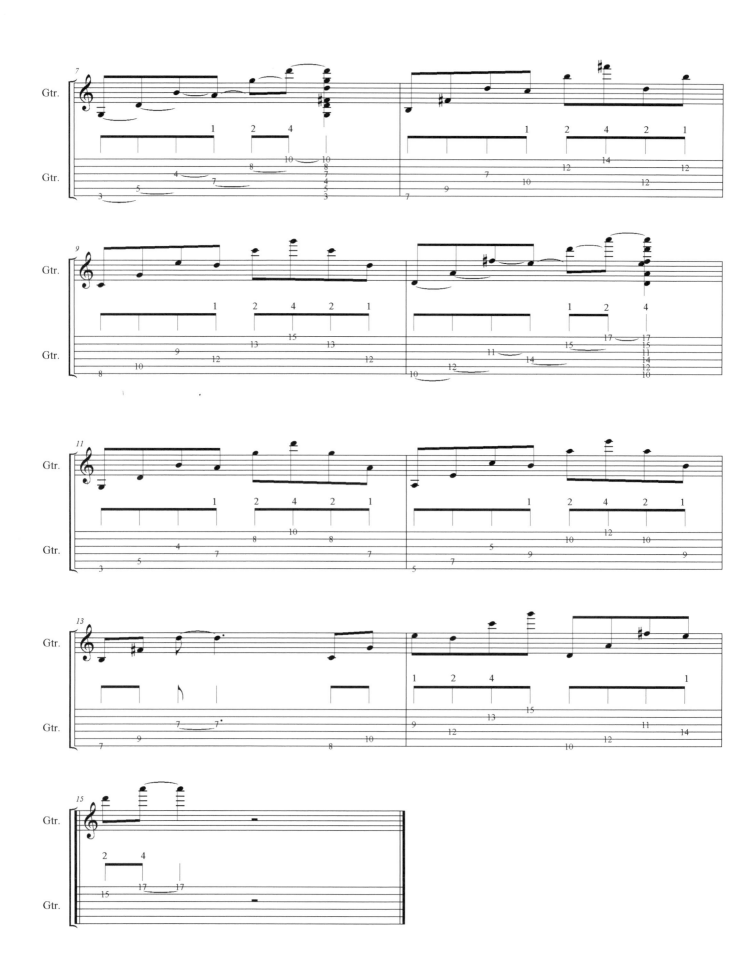

G major progression

G大調和弦進行

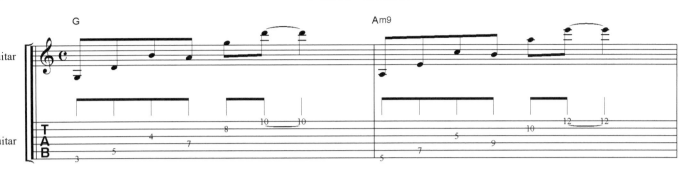

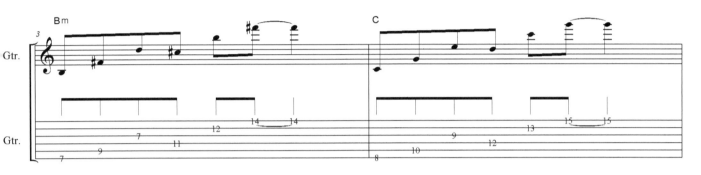

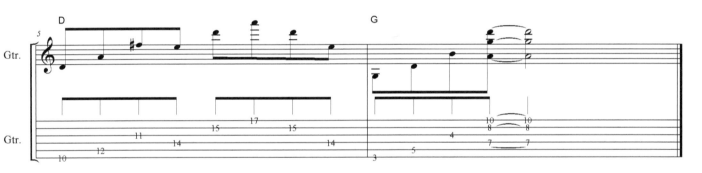

Heroes of Sand

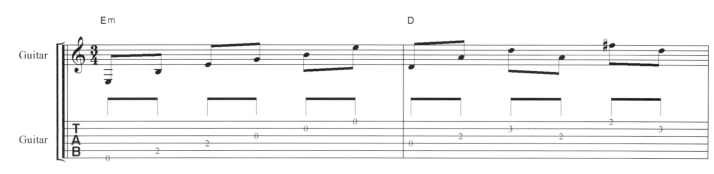

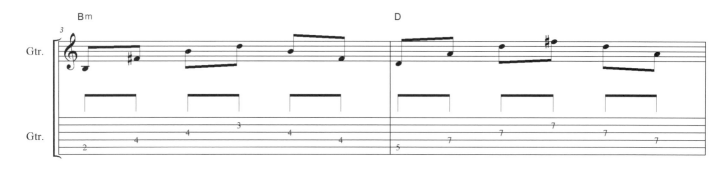

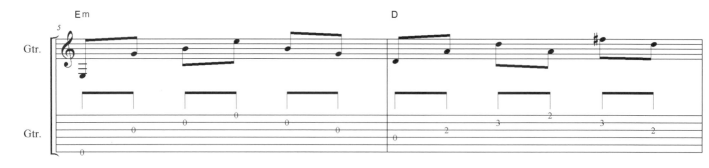

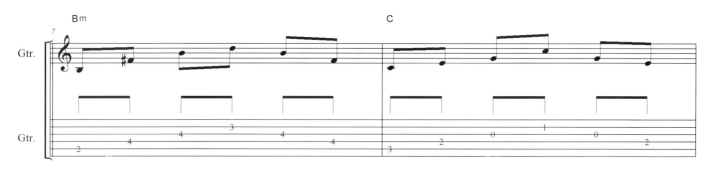

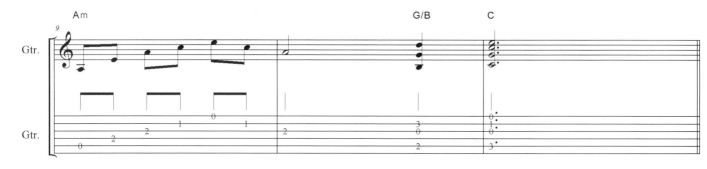

Heroes of Sand-Chords

和弦示範

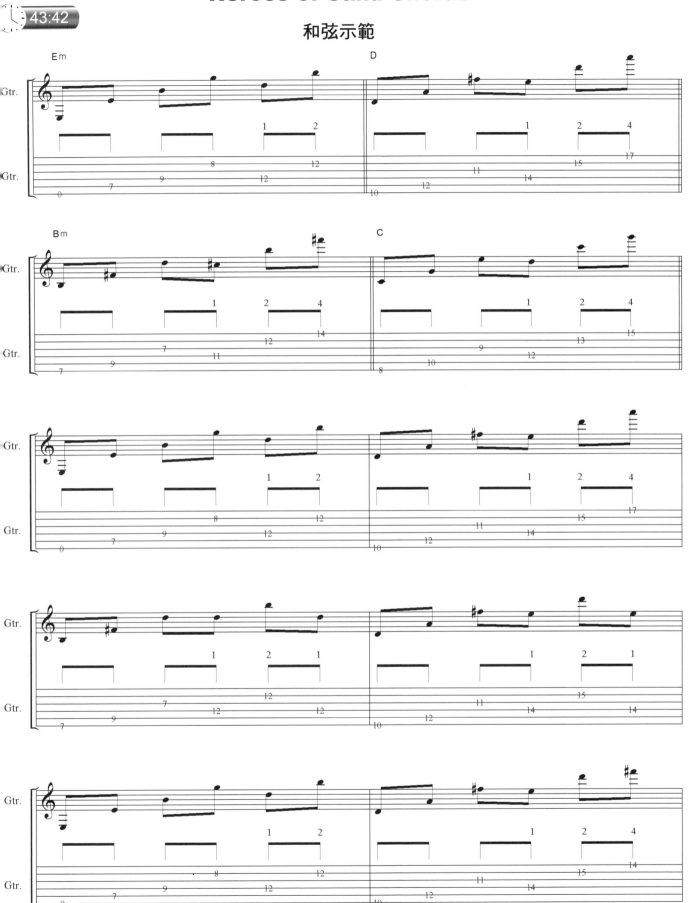

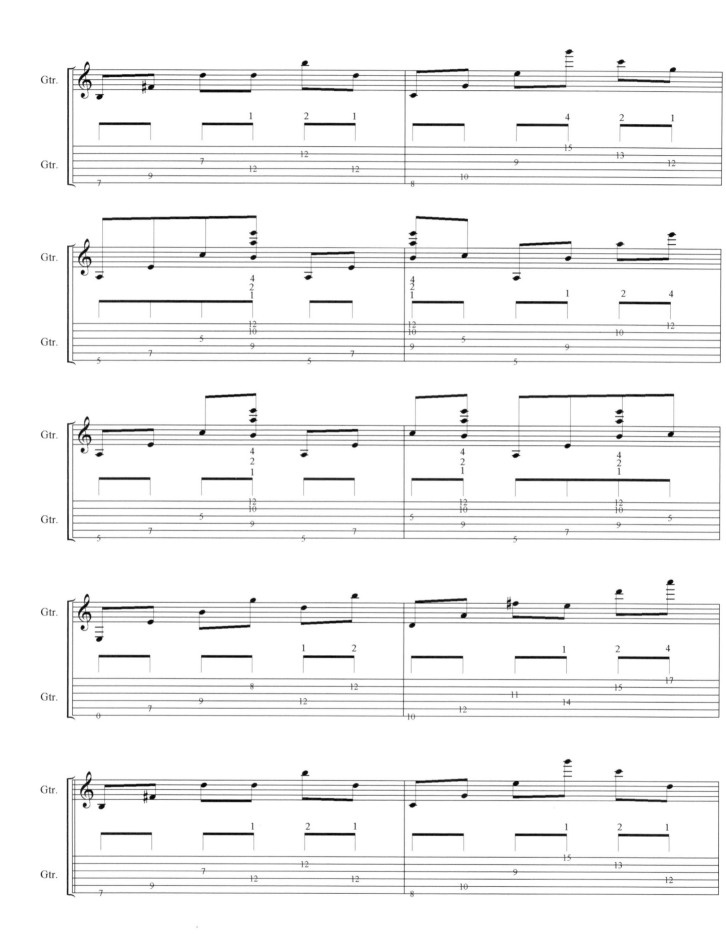

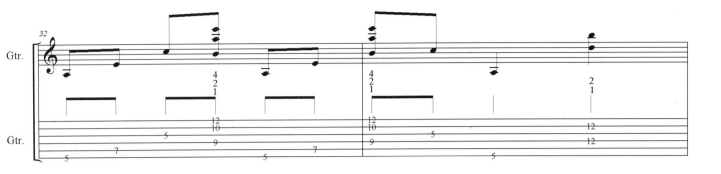

Rock lick 1

45:14

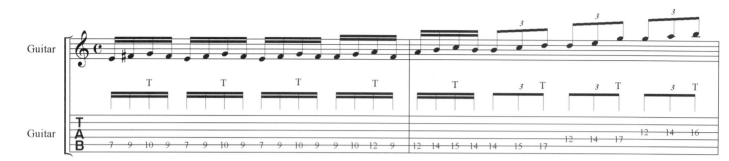

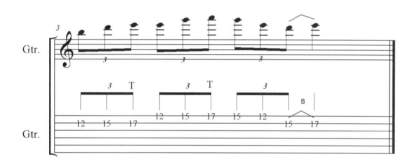

Rock lick 2

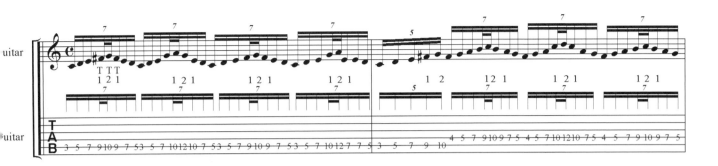

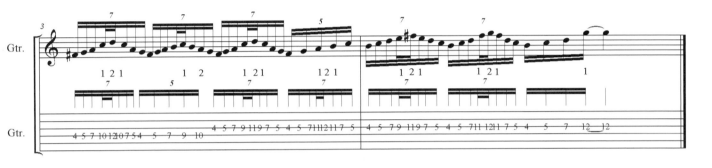

Rock lick 3

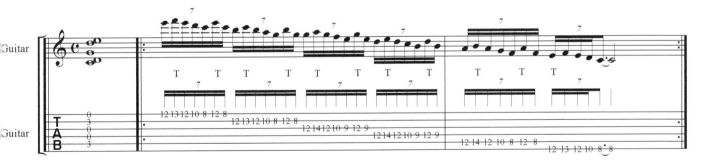

造音工場有聲教材—電吉他

Kiko Loureiro
電吉他影音教學DVD

發行人：簡彙杰
執行製作：蕭良悌

錄音 / 混音：葉育軒@白金錄音室
攝影：王治平等（現場傳播）
平面攝影：陳志昇
花絮攝影：洪一鳴 / 高志強 / 蕭良悌
其他照片提供：Kiko Loureiro
文字 / 採訪 / 翻譯：蕭良悌
美術設計：馬震威

後製剪接：高梓勤 / 林肇封 （百聿科技）
嚴振洋（片頭/花絮）
大普傳播（初剪）
審片：蕭良悌 / 孫立衡 / 洪一鳴 / 簡彙杰

教學內容採譜：孫立衡 / 洪一鳴
樂譜編輯：洪一鳴 / 黃志成

特別感謝
台灣Takamine 宏睿樂器
Champagne 1
薇閣精品旅館
UD音樂中心 陳子文
百聿科技 扁哥
Philip Tseng

And Thanks to Kiko for being so friendly and willing to cooperate with everything！

發行所/典絃音樂文化國際事業有限公司
地址/台北市金門街1-2號1樓
登記證/北市建商字第428927號
聯絡處/251 台北縣淡水鎮民權路71號3樓
電話/+886-2-2624-2316　傳真/+886-2-2890-1078

印刷工程/永華印刷股份有限公司
定價/每本新台幣八百元整（NT＄800.）
掛號郵資/每本新台幣四十元整（NT＄40.）
郵政劃撥/19471814　戶名/典絃音樂文化國際事業有限公司
出版日期/2007年11月初版

OverTop
Music Publishing

典絃音樂文化國際事業有限公司

電話/886-2-2624-2316　　傳真/886-2-2809-1078

親愛的音樂愛好者您好：

　　很高興與你們分享吉他的各種訊息，現在，請您主動出擊，告訴我們您的吉他學習經驗，首先，就從 Kiko Loureiro電吉他影音教學DVD 的意見調查開始吧！我們誠懇的希望能更接近您的想法，問題不免俗套，但請鉅細靡遺的盡情發表您對 Kiko Loureiro電吉他影音教學DVD 的心得。也希望舊讀者們能不斷提供意見，與我們密切交流！

● 您由何處得知 Kiko Loureiro電吉他影音教學DVD？
　□老師推薦 ＿＿＿＿＿＿＿＿＿（指導老師大名、電話）　　　□同學推薦
　□社團團體購買　　□社團推薦　　□樂器行推薦　　□逛書店
　□網路 ＿＿＿＿＿＿＿＿＿＿（網站名稱）

● 您由何處購得 Kiko Loureiro電吉他影音教學DVD？
　□書局＿＿＿＿＿＿　　　□ 樂器行 ＿＿＿＿＿＿　　□社團　□劃撥

● Kiko Loureiro電吉他影音教學DVD 書中您最有興趣的部份是？（請簡述）
　＿＿＿＿＿＿＿＿＿＿＿＿＿＿＿＿＿＿＿＿＿＿＿＿＿＿＿＿＿＿＿＿＿
　＿＿＿＿＿＿＿＿＿＿＿＿＿＿＿＿＿＿＿＿＿＿＿＿＿＿＿＿＿＿＿＿＿

● 您學習 吉他 有多長時間？
　＿＿＿＿＿＿＿＿＿＿＿＿＿＿＿＿＿＿＿＿＿＿＿＿＿＿＿＿＿＿＿＿＿

● 在 Kiko Loureiro電吉他影音教學DVD 中的版面編排如何？□活潑 □清晰 □呆板 □創新 □擁擠
● 您希望 典絃 能出版哪種音樂書籍？（請簡述）
　＿＿＿＿＿＿＿＿＿＿＿＿＿＿＿＿＿＿＿＿＿＿＿＿＿＿＿＿＿＿＿＿＿
　＿＿＿＿＿＿＿＿＿＿＿＿＿＿＿＿＿＿＿＿＿＿＿＿＿＿＿＿＿＿＿＿＿
　＿＿＿＿＿＿＿＿＿＿＿＿＿＿＿＿＿＿＿＿＿＿＿＿＿＿＿＿＿＿＿＿＿

● 您是否購買過 典絃 所出版的其他音樂叢書？（請寫書名）
　＿＿＿＿＿＿＿＿＿＿＿＿＿＿＿＿＿＿＿＿＿＿＿＿＿＿＿＿＿＿＿＿＿
　＿＿＿＿＿＿＿＿＿＿＿＿＿＿＿＿＿＿＿＿＿＿＿＿＿＿＿＿＿＿＿＿＿
　＿＿＿＿＿＿＿＿＿＿＿＿＿＿＿＿＿＿＿＿＿＿＿＿＿＿＿＿＿＿＿＿＿

● 您對 Kiko Loureiro電吉他影音教學DVD 的綜合建議：
　＿＿＿＿＿＿＿＿＿＿＿＿＿＿＿＿＿＿＿＿＿＿＿＿＿＿＿＿＿＿＿＿＿
　＿＿＿＿＿＿＿＿＿＿＿＿＿＿＿＿＿＿＿＿＿＿＿＿＿＿＿＿＿＿＿＿＿
　＿＿＿＿＿＿＿＿＿＿＿＿＿＿＿＿＿＿＿＿＿＿＿＿＿＿＿＿＿＿＿＿＿
　＿＿＿＿＿＿＿＿＿＿＿＿＿＿＿＿＿＿＿＿＿＿＿＿＿＿＿＿＿＿＿＿＿
　＿＿＿＿＿＿＿＿＿＿＿＿＿＿＿＿＿＿＿＿＿＿＿＿＿＿＿＿＿＿＿＿＿

寄回本頁回函
即可參加
Kiko Loureiro親筆簽名琴
抽獎活動！

請您詳細填寫此份問卷，並剪下 **傳真至** 02-2809-1078，

或 **免貼郵票寄回** "典絃音樂文化國際事業有限公司"。

廣　告　回　函
台灣北區郵政管理局登記證
北 台 字 第 8 9 5 2 號
免　貼　郵　票

TO：251

台北縣淡水鎮民權路71號3樓

典絃音樂文化國際事業有限公司

Tapping Guy 的 "X" 檔案 　　　　　　　（請您用正楷詳細填寫以下資料）

您是 □新會員 □舊會員，您是否曾寄過典絃回函 □是 □否

姓名：_____ 年齡：_____ 性別：□男 □女 生日：_____年_____月_____日

教育程度：□國中 □高中職 □五專 □二專 □大學 □研究所

職業：_____ 學校：_____ 科系：_____

有無參加社團：□有，_____社，職稱_____ □無

能維持較久的可連絡的地址：□□□-□□_____

最容易找到您的電話：（H）_____ （行動）_____

E-mail：_____（請務必填寫，典絃往後將以電子郵件方式發佈最新訊息）

身分證字號：_____（會員編號） 回函日期：_____年_____月_____日

KIKO-200711

◎寄款人請注意背面說明
◎本收據由電腦印錄請勿填寫

郵政劃撥儲金存款收據

收款帳號戶名	
存款金額	
電腦記錄	
經辦局收款戳	

98-04-43-04

郵　政　劃　撥　儲　金　存　款　單

帳號 1 9 4 7 1 8 1 4

通訊欄（限與本次存款有關事項）

KIKO-200711

金額 新台幣（小寫）

	拾	萬	仟	佰	拾	元

戶名 典絃音樂文化國際事業有限公司

寄款人

姓名

通訊處 □□□－□□

電話

經辦局收款戳

虛線內備供機器印錄用請勿填寫

典絃音樂文化國際事業有限公司
劃撥帳號：19471814

劃撥存款收據 注意事項

一、本收據請詳加核對並妥為保管，以便日後查考。

二、如欲查詢存款入帳詳情時，請檢附本收據及已填妥之查詢函向各連線郵局辦理。

三、本收據各項金額、數字係機器印製，如非機器列印或經塗改或無收款郵局收訖章者無效。

請 寄 款 人 注 意

一、帳號、戶名及寄款人姓名通訊處各欄詳細填明，以免誤寄；抵付票據之存款，務請於交換前一天存入。

二、每筆存款至少須在新台幣十五元以上，且限填至元位為止。

三、倘金額塗改時請更換存款單重新填寫。

四、本存款單不得黏貼或附寄任何文件。

五、本存款金額業經電腦登帳後，不得申請撤回。

六、本存款單備供電腦影像處理，請以正楷工整書寫並請勿折疊。帳戶如需自印存款單，各欄文字及印製格式必須與本單完全相符。如有不符，各局應婉請寄款人更換郵局印製之存款單填寫，以利處理。

七、本存款單帳號與金額欄請以阿拉伯數字書寫。

八、帳戶本人在「付款局」所在直轄市或縣（市）以外之行政區域存款，需由帳戶內扣收手續費。

交易代號：0501、0502現金存款 0503票據存款 2212劃撥票據託收